PENSE COMO UM BILIONÁRIO

DONALD TRUMP

Título original: *Trump: Think like a billionaire*

Copyright © 2004 Donald J. Trump

Pense como um bilionário

2ª edição: Novembro 2025

Direitos reservados desta edição: Citadel Editorial SA

O conteúdo desta obra é de total responsabilidade do autor
e não reflete necessariamente a opinião da editora.

Autor:
Donald Trump

Revisão:
Carla Oliveira e 3GB Consulting

Tradução:
Nathalia Ferrante

Diagramação:
Jéssica Wendy

Preparação de textos:
Magno Paganelli

Capa:
Pamela Siqueira

DADOS INTERNACIONAIS DE CATALOGAÇÃO NA PUBLICAÇÃO (CIP)

Trump, Donald, 1946-

    Pense como um bilionário / Donald Trump. -- Porto Alegre : Citadel, 2020.
    256 p.

    ISBN 978-65-87885-02-5
    Título original: Trump: Think like a billionaire

    1. Riqueza 2. Finanças pessoais 3. Sucesso nos negócios I. Título

20-1846   CDD 332.024

Angélica Ilacqua - Bibliotecária - CRB-8/7057

Produção editorial e distribuição:

contato@citadel.com.br
www.citadel.com.br

Aos meus pais, Mary e Fred Trump

O PAI DE TODOS OS CONSELHOS

"Saiba tudo o que puder saber sobre o que está fazendo."

— MEU PAI, FRED TRUMP

"Nos negócios, todos estão dispostos a ganhar, lutar e vencer. Ou você é o cachorro que fica por baixo ou é aquele que fica por cima. Cabe a você ficar no topo."

— ALICE FOOTE MACDOUGALL

"Ser bom nos negócios é o tipo de arte mais fascinante... Ganhar dinheiro é uma arte, trabalhar é arte e os bons negócios são a melhor arte."

— ANDY WARHOL

SUMÁRIO

Introdução: Pensando como um bilionário · 09

PARTE 1 | Imóveis · 25

PARTE 2 | Dinheiro · 65

PARTE 3 | O negócio da vida · 93

PARTE 4 | Facetas da vida de um bilionário · 133

PARTE 5 | Os bastidores de *O Aprendiz* · 207

Agradecimentos · 253

INTRODUÇÃO

PENSANDO COMO UM BILIONÁRIO

Em um mundo de mais de seis bilhões de pessoas, existem apenas 2.153 bilionários.[1] É um clube exclusivo. Você gostaria de juntar-se a nós?

Obviamente, as chances contra você são de uma em dez milhões. Mas se você pensa como um bilionário, essa probabilidade não deverá assustá-lo.

Bilionários não se importam com probabilidades. Não ouvimos o senso comum nem agimos segundo o que é convencional ou esperado. Seguimos a nossa visão, não importando que outras pessoas achem que são ideias loucas ou idiotas. É disso que trata este livro – aprender a pensar como um bilionário. Mesmo se você absorver

---

[1] Pelo *ranking* mais recente da Revista Forbes, o ano de 2019 fechou com 2.153 bilionários, 55 a menos que em 2018. Desses, 994, ou 46%, estão "mais pobres" do que no ano anterior e 11% dos membros da lista de 2018, ou 247 pessoas, deixaram o posto, o maior número desde 2009, no auge da crise financeira global. Disponível em <https://www.forbes.com/billionaires/#4868c3b5251c> e acessado em 28.01.2020. (N. P.)

apenas dez por cento dos ensinamentos deste livro, ainda terá uma boa chance de se tornar um milionário.

No meu livro *How to get rich* [Como ficar rico] compartilhei algumas das minhas técnicas favoritas para administrar um negócio lucrativo e se tornar uma superestrela da televisão. Considere este novo livro a segunda parte de uma conversa em andamento entre você e o Donald – o equivalente, para um bilionário, aos *best-sellers Conversations with God* e *Conversations with God, Book 2*.

Tenho certeza de que algum sabichão da mídia irá dizer que estou me comparando a Deus, então, para constar, não acho que sou Deus. Eu acredito em Deus. Se Deus estivesse interessado em um apartamento na *Trump Tower*, eu imediatamente ofereceria a melhor suíte de luxo por um preço muito especial. Acredito que Deus está em toda parte e em todos nós e quero que todas as minhas decisões somem pontos positivos para mim quando chegar a hora de ir para aquela grande sala de reuniões no céu. Quando eu for despedido permanentemente pelo chefe supremo, quero que o elevador para o céu suba, não desça.

Alguns de vocês podem pensar que é errado falar sobre Deus e negócios em uma mesma frase, mas Deus sempre foi central em nossa maneira de pensar sobre o capitalismo. A ética de trabalho protestante prosperou por séculos. A busca pela prosperidade está arraigada em nossa cultura religiosa. Quanto mais você tem, mais você pode dar.

Aqui está outro fato sobre Deus que qualquer bilionário conhece: Ele está nos detalhes, e você precisa estar lá também. Eu não poderia administrar um negócio de outra maneira. Quando estou conversando com um empreiteiro, examinando um local ou planejando um novo empreendimento, nenhum detalhe é pequeno demais para não ser examinado. Eu procuro até mesmo assinar o maior número possível de cheques. Para mim, não há nada pior do que um computador assinando os cheques. Quando você assina um cheque, pode ver o que realmente está acontecendo dentro da sua empresa, e se as pessoas veem sua assinatura no final do cheque percebem que está de olho em tudo e tentam te enganar menos, porque têm ali uma prova de que você se preocupa com os detalhes.

Aprendi a pensar como um bilionário observando meu pai, Fred Trump. Ele foi o maior homem que já conheci, e a maior influência na minha vida.

Muita coisa foi escrita sobre a minha família. Uma escritora chamada Gwenda Blair passou doze anos trabalhando em uma história completa, *The Trumps: Three Generations That Built an Empire* [Os Trumps: três gerações que construíram um império; trad. livre]. Ela chegou a rastrear a nossa linhagem até 1608, quando um advogado alemão chamado Hanns Drumpf se estabeleceu na cidade de Kallstadt, a cerca de 65 quilômetros a oeste do rio Reno. Segundo Blair, um dos meus ancestrais, um viticultor, mudou o nome da família para Trump no final do século 17 – uma boa jogada, na minha opinião, já que *Drumpf Tower* não soaria tão atraente.

Meu avô, Friedrich, foi o primeiro Trump a vir para a América. Como muitos empreendedores, ele fugiu de casa porque não queria trabalhar no negócio de vinhos da família. Um dos meus amigos bilionários, John R. Simplot, deixou a fazenda da família porque não queria passar o resto de seus dias ordenhando vacas. Em vez disso, tornou-se um produtor de batatas e um dos maiores fornecedores do McDonald's. Ele ganhou bilhões vendendo batatas fritas. Uma maneira de pensar como um bilionário é questionar o que está a sua volta: não presuma que você tem que aceitar as cartas que recebeu.

Meu avô era barbeiro e dono de várias empresas, incluindo um hotel e um restaurante. Ele se mudou de Nova York para Seattle e, mais tarde, para o Alasca durante a corrida do ouro, onde alimentou os mineiros no maior estabelecimento da cidade, o Restaurante Ártico. Infelizmente, acabou pegando uma pneumonia e morreu quando meu pai era apenas um menino. Meu pai nunca me falou muito sobre ele ou sobre outras histórias da família Trump.

Fred C. Trump não era o tipo de pai que nos levava ao cinema ou brincava de bola no *Central Park*. Ele era melhor do que aqueles pais. Em vez disso, ele me levava para os canteiros de obras no Brooklyn e no Queens. E dizia: "Vamos fazer as rondas", e a gente ia. Ele nunca gritou comigo nem precisou me castigar, mas sempre foi forte e um pouco distante, até que comecei a trabalhar nos seus negócios. Foi quando eu realmente pude conhecê-lo.

Vi como ele lidava com empreiteiros e sindicatos e como tirava o máximo proveito de todos os espaços. Meu pai acreditava em adicionar "o elemento extra" às suas propriedades – ele foi um dos primeiros a construir garagens em casas no Brooklin. Ele poderia ter sido uma celebridade também. Seus negócios tornaram-se manchetes de primeira página nos jornais do Brooklyn. Ele anunciava regularmente e promovia grandes inaugurações para seus empreendimentos. Acabei herdando um pouco de seu dom para a publicidade, mas nunca falamos sobre isso e, até hoje, não acho que a publicidade tenha muito a ver com o sucesso dele ou com o meu. Nos tornamos bem-sucedidos porque aprendemos a criar os melhores edifícios, nos melhores locais e com o melhor zoneamento. Meu pai me ensinou a lutar contra os sindicatos e os políticos, a fim de construir o edifício dentro do orçamento e antes do previsto. E então, depois que o edifício está pronto e é um grande sucesso, todo mundo diz: "Donald, foi uma bela publicidade", e isso no tempo quando a publicidade não tinha nada a ver com isso!

Meu pai sempre confiou em mim. Ele estava nos negócios há cinquenta anos, mas nunca deixou ninguém na empresa assinar seus cheques, até que comecei a trabalhar com ele. Ele não tinha absolutamente nenhuma dúvida sobre a minha capacidade.

Sua fé me deu uma confiança inabalável. Mesmo quando estava na pior, no início dos anos 1990, quando o mercado imobiliário estava estagnado, eu tinha bilhões em dívidas, Ivana com seus advogados e cem bancos estavam prontos para acabar comigo, meu pai me disse que não tinha absolutamente nenhuma dúvida de que meus negócios ficariam bem. Ele dizia: "Você é um matador. Você é um rei."

Meu pai nunca quis construir em Manhattan. Ele achava que era muito caro. Ele dizia: "Se posso comprar um terreno por um dólar o metro quadrado no Brooklyn, por que deveria pagar mil dólares por metro quadrado em Manhattan?" Era uma filosofia diferente, mas funcionou para ele.

Eu já trabalhava nos negócios da família há cinco anos quando me mudei para Manhattan. Alguns críticos sugeriram que o meu sucesso é o resultado do dinheiro da família, mas o dinheiro da família não viabilizou meus primeiros projetos na ilha. Foi preciso arrecadar dezenas de milhões de dólares de investidores para esses empreendimentos. Meu pai não me deu dinheiro; me deu conhecimento – um conhecimento que se tornou instintivo para mim.

Quando estava na faculdade, pensei em me tornar um produtor de filmes, mas sempre que conversava com um amigo sobre investimentos imobiliários, ele dizia: "Por que você gostaria de fazer filmes quando já sabe tanto sobre imóveis?". Então, sim, meu pai foi milionário muitas vezes, mas se ele não tivesse me ensinado a pensar nos negócios, eu jamais teria entrado no clube dos bilionários.

Gostaria de poder dizer-lhe que Mar-a-Lago, é o *resort* em Palm Beach onde bilionários se reúnem regularmente e onde nos encontramos para analisar nossos portfólios, fazer negócios de sucesso, comer caviar e beber vinho *vintage*, mas a verdade é que eu não bebo, prefiro comer um bife do que caviar, e conheci apenas cerca de vinte membros do clube ao longo dos anos, muitas vezes no campo de golfe, onde tendemos a falar mais sobre o jogo do que sobre o nosso patrimônio. Ainda assim, estudei colegas bilionários à distância e também li o que outros escreveram sobre nós.

Em um artigo para a *Forbes*, de Matthew Herper, Robert Baron, psicólogo do Instituto Politécnico Rensselaer, disse que somos persuasivos e temos fortes habilidades sociais – que apelamos ao nosso carisma na hora de fazer uma negociação. No mesmo artigo, Kelly Shaver, professora de psicologia da Universidade William & Mary, disse que não nos importamos com o que as outras pessoas pensam de nós. Ela disse: "Eles ficam felizes em apenas sair e fazer o que estão fazendo".

Concordo com ela. Meu pai achou que eu era louco por construir em Manhattan, mas não dei ouvidos a ele porque tinha minha própria visão. Um dos meus bilionários favoritos é Warren Buffett, que também tem sua própria visão. Ele não participou da histeria da corrida ao ouro da Internet, apesar de ter sido amplamente criticado por continuar sendo um tradicional investidor de valores. Agora, ele mais uma vez parece um gênio. Uma das muitas coisas que admiro em Warren é que, em todos os seus anos como CEO da *Berkshire Hathaway*, ele nunca vendeu nenhuma parte de suas ações.

Outro estudante de empreendedores de sucesso, Michael Maccoby, psicanalista e consultor, acredita que bilionários como Jeff Bezos, Steve Jobs e Ted Turner são bem-sucedidos em parte porque são narcisistas, que com um foco incansável empregam seus talentos para a realização de seus sonhos, e isso se dá, às vezes, às custas do bem-estar daqueles que estão ao seu redor. O livro de Maccoby, *The Productive Narcissist* [O narcisista produtivo; trad. livre], argumenta de forma convincente que o narcisismo pode ser uma qualidade útil se você estiver tentando iniciar um negócio. Um narcisista não dá ouvidos aos opositores. Na organização Trump, ouço as pessoas, mas a minha visão é a minha visão.

Em *História natural dos ricos*, o autor Richard Conniff explicou desta maneira: "Quase todas as personalidades-alfa de sucesso demonstram uma determinação obstinada em impor sua visão ao mundo, uma crença irracional em objetivos absurdos, às vezes chegando à loucura". Ele cita uma passagem de Michael Lewis sobre o empresário Jim Clark em *A nova novidade: uma história do vale do silício*: "Ele era o cara que sempre ganhava o jogo da galinha, porque seus oponentes suspeitavam que ele poderia realmente gostar da ideia de sofrer uma colisão frontal." Duvido que Jim Clark teria gostado dessa colisão, mas o fato de ter convencido as pessoas de que poderia gostar tem muito a ver com seu sucesso.

Aqui estão as dez principais maneiras de pensar como um bilionário:

1. **Não tire férias.** De que adianta? Se você não está gostando do seu trabalho, está no emprego errado. Mesmo quando estou jogando golfe, estou fazendo negócios. Eu nunca paro e geralmente estou me divertindo. Agora que meus filhos estão ingressando no negócio da família, estou mais próximo deles do que jamais estive e estou descobrindo que adoro me relacionar com eles, do mesmo modo que meu pai se relacionou comigo – por meio da paixão pelo trabalho bem feito.

A propósito, eu não sou o único que não tira férias. Meu compatriota na *NBC*, Jay Leno, trabalha tanto quanto eu, e talvez essa seja uma das razões que o fez ficar no topo nas guerras de audiência entre os programas noturnos.

2. **Tenha um curto período de atenção.** A maioria das pessoas de sucesso tem muito pouco tempo de atenção. Isso tem muito a ver com a imaginação. Frequentemente, converso com alguém e já sei o que ele vai dizer antes de falar. Depois que as três primeiras palavras saem de sua

boca, posso dizer quais serão as próximas quarenta palavras, então tento acelerar o ritmo e seguir adiante. Você pode realizar mais coisas em menos tempo fazendo isso.

3. **Não durma mais do que o necessário.** Eu costumo dormir cerca de quatro horas por noite. Estou na cama à 1 da manhã e acordo para ler os jornais às 5 da manhã. É tudo o que preciso e isso me fornece uma vantagem competitiva. Tenho amigos bem-sucedidos que dormem dez horas por noite e pergunto a eles: "Como vocês podem competir contra pessoas como eu se durmo apenas quatro horas por noite?" Isso raramente é possível. Não importa o quão brilhante você seja, não há tempo suficiente durante o dia.

Você pode estar se perguntando: Por que preciso de uma vantagem competitiva? Você não precisa, caso esteja feliz em ser um perdedor na vida. Na *História natural dos ricos*, Richard Conniff observa que buscar dominância é um comportamento comum entre os magnatas. Mesmo hábitos como fazer mais contato visual em uma conversa podem ser uma indicação de quem busca dominar. Conniff me destaca como um exemplo de alguém que alcança o domínio através da minha aparência, deixando minhas sobrancelhas sem cortes, a fim de intimidar os parceiros de negociação. Fico feliz em notar que ele não comentou nada a respeito do meu cabelo.

4. **Não dependa da tecnologia.** Muito disso é desnecessário e caro. Eu não tenho um computador na minha mesa. Eu

não uso interfone. Quando quero alguém no meu escritório, eu grito. Funciona muito melhor que um interfone e é muito mais rápido.

Eu nem tenho cartão de banco – nunca usei um na minha vida. Essa é a parte boa de ser rico: quando vou a restaurantes, raramente tenho que pagar. Geralmente é por conta da casa. A parte triste é que, se eu precisasse do dinheiro, eles me fariam pagar!

Entendo que algumas pessoas apreciem a facilidade de ter um cartão de banco, mas muitos outros dispositivos tecnológicos são completamente desnecessários e atrapalham o contato humano. Se você tem algo importante a dizer, olhe nos olhos da pessoa e diga. E se você não conseguir chegar até lá, pegue o telefone e certifique-se de que ouçam a sinceridade em sua voz. O e-mail é para os fracos.

5. **Considere-se um exército de um homem só.** Você não é apenas o chefe no comando, você também é o soldado. Deve planejar e executar seu plano sozinho.

As pessoas estão sempre comparando negócios com guerras e esportes. Fazemos isso porque são analogias de fácil entendimento, não porque os negócios dizem respeito à dureza. Não é assim. É muito mais importante ser inteligente do que ser durão. Conheço alguns empresários muito ruins que são brutalmente durões, mas não são pessoas inteligentes. Eles querem agir como Vince Lombardi, o primeiro técnico campeão do *Super Bowl*, mas não sabem como vencer. Lombardi daria um tapa em seus jogadores, cuspiria em seus rostos.

Ele levava homens com mais de 100 quilos às lágrimas. Ele podia fazer isso porque venceu, e você poderá fazer isso apenas se vencer.

Os bilionários gostam de vencer. O livro *A História natural dos ricos* está recheado de exemplos de plutocratas hipercompetitivos: Larry Ellison pilotando seu iate da Austrália para a Tasmânia, Steve Fossett voando em um balão ao redor do mundo e Dennis Tito pagando 20 milhões de dólares por uma viagem ao espaço em um foguete russo. "Todos eles, de um jeito ou de outro, estavam se exibindo", escreve Conniff. "Explicando no contexto biológico, todos estavam engajados em um comportamento de exibição. Os animais fazem isso o tempo todo, e suas exibições, assim como as nossas, correspondem a duas categorias: eles se exibem com belas plumas e se exibem por meio de comportamentos arriscados."

Eu tenho minha própria teoria, mas não é tão científica: fazemos isso porque é divertido. Trabalhe duro, divirta-se muito e viva ao máximo.

6. **Muitas vezes, ser subestimado é algo vantajoso para você.** Você não vai querer que as pessoas pensem que você é um perdedor ou alguém desprezível, mas também não é uma boa ideia pensarem que você é o cara mais inteligente da sala. Por ter escrito *A arte da negociação*, as pessoas sempre ficam receosas quando estou negociando com elas. Uma das razões pelas quais o presidente Reagan foi um candidato tão bem-sucedido ao cargo deve-se ao fato de que os políticos rivais o subestimaram constantemente. Eles acreditavam que um ator não estaria apto

a competir ao cargo. Durante anos de insultos sobre sua falta de inteligência e experiência política, Reagan apenas sorria, permanecendo genial e, no final, seu mandato foi muito melhor do que o esperado.

Como sou famoso demais para ser subestimado – sei que parece arrogante, mas é verdade – estou sempre sendo pressionado por pessoas ultra-bem-sucedidas que vivem vidas incríveis de maneira discreta. Por exemplo, um dos meus vizinhos na *Trump Tower* é um homem chamado Joel Anderson. Durante anos, eu o via no elevador e dizia "olá", mas não sabia nada sobre ele. Um dia, ele ligou para o meu escritório e disse: "Você acha que seria possível o Sr. Trump participar da minha festa?". Ele parecia um cara legal, com uma esposa fantástica, então eu pensei em aparecer lá por alguns minutos. Quando cheguei à festa, fiquei surpreso ao me ver cercado por algumas das pessoas mais influentes de Nova York, incluindo S. I. Newhouse e Anna Wintour, ambos do ramo editorial. Logo descobri que o gentil Joel Anderson, é presidente e CEO da *Anderson News*, um dos maiores distribuidores de jornais e revistas do país. Ele é uma das pessoas mais poderosas e generosas que conheço. Estávamos andando de elevador juntos há anos e eu nunca soube quem ele era.

Em *Como ficar rico*, discuti como é importante que as pessoas saibam sobre suas realizações. Eu sempre acreditarei nisso, mas há momentos em que é ainda mais impressionante se as pessoas descobrirem suas realizações sem que você as conte diretamente. Algumas semanas após a festa de Joel Anderson, me deparei com um perfil longo e muito positivo a respeito dele na seção de negócios do

The New York Times. Então, eu quero alterar meu conselho do livro anterior: muitas vezes é necessário se gabar, mas é ainda melhor se outras pessoas fizerem isso por você.

7. **O sucesso gera mais sucesso.** A melhor maneira de impressionar as pessoas é por meio dos resultados. Para mim, é mais fácil fazer negócios agora porque já tive muitos triunfos. Você precisa criar sucesso para impressionar as pessoas no mundo dos negócios. Se você é jovem e ainda não obteve sucesso, precisa criar a impressão de sucesso. Não importa se o sucesso é grande ou pequeno – você precisa começar com alguma coisa e seguir em frente a partir daí.

8. **Amigos são bons, mas a família é melhor.** É melhor confiar em sua família do que em seus amigos. Quando eu era jovem, disse a alguém que tinha um grande negócio: "Você encontra com seus irmãos e irmãs?". A pessoa olhou para mim e disse: "Sim, sim, Donald. Eu os vejo no tribunal." Essa fala teve um grande impacto em mim, e eu sempre tentei ficar próximo de meus irmãos e irmãs, meus filhos e minhas ex-esposas.

9. **Trate cada decisão como se fosse uma amante.** Vastas fortunas são acumuladas por meio de dezenas de decisões por dia, milhares por mês e centenas de milhares em uma carreira. No entanto, cada decisão é diferente e especial à sua maneira. Às vezes você decide imediatamente – como

amor à primeira vista. Às vezes você leva tempo para decidir – o longo noivado. Às vezes, você reúne pessoas em uma sala e considera várias opiniões – o equivalente a perguntar a seus amigos o que eles acham da pessoa com quem está namorando. Se você tratar cada decisão como uma amante – fiel, respeitosa e adequadamente –, não ficará preso a um sistema rígido. Irá se adaptar às necessidades daquela decisão específica. Às vezes você vai pensar com a cabeça. Outras vezes, você pensará com outras partes do corpo, e isso é bom. Algumas das melhores decisões de negócios são feitas com paixão.

Há ocasiões em que as pessoas ficam surpresas com a rapidez com que tomo grandes decisões, mas aprendi a confiar em meus instintos e a não pensar demais. Gosto de comparar uma decisão com uma amante, porque isso me lembra de manter contato com meus impulsos básicos, com os desejos que nos excitam, nos atraem, que nos dão inspiração e energia. Todos somos atraídos pela beleza, seja o fascínio de uma pessoa ou a elegância de uma casa. Sempre que preciso tomar uma decisão criativa, tento dar um passo atrás e lembrar da minha primeira reação instintiva. O dia em que percebi que pode ser inteligente agir baseando-se nos instintos foi uma experiência profunda.

10. **Seja curioso.** Uma pessoa de sucesso sempre será curiosa. Não sei por que isso é verdade, mas é fato. Você precisa estar atento às coisas ao seu redor e sedento por enten-

der o mundo que o cerca. Caso contrário, você não terá a perspectiva de ver além de si mesmo. Uma das grandes vantagens do trabalho em *O Aprendiz* foi aprender sobre como o universo da TV funciona. Recentemente, descobri que uma das razões pelas quais as noites de quinta-feira são tão cruciais para os canais de TV. É justamente por ser o momento quando são exibidos anúncios de filmes lucrativos para os lançamentos do fim de semana. Quanto mais alta for a audiência na noite de quinta-feira, mais as redes de TV podem cobrar de seus anunciantes. E quanto mais eles podem cobrar de seus anunciantes, mais podem me pagar por salvar a audiência de seus canais! Entendeu? A curiosidade compensa!

Vou oferecer muito mais conselhos sobre como pensar como um bilionário nas próximas páginas. Pela primeira vez, estou compartilhando conselhos práticos sobre como investir em imóveis – comprar, vender, conseguir uma hipoteca, lidar com um corretor, renovar e decorar. Também montei um guia do consumidor para as melhores coisas da vida. Você não precisa ser um bilionário para desfrutar delas.

Sempre que dou palestras ou apareço em público, as pessoas querem ouvir sobre *O Aprendiz*; por isso vou levá-lo para conhecer os bastidores das duas primeiras temporadas e mostrar como é ir das locações incríveis até o horário nobre.

Eu jamais esquecerei a emoção do final da primeira temporada, ao vivo. Estávamos prestes a mudar da parte gravada do show para o final ao vivo, onde, sem roteiro, anunciaria espontaneamente se iria contratar Kwame ou Bill. Logo antes de ir ao ar, o brilhante chefe da *NBC*, Jeff Zucker, me disse que já estava recebendo informações de que a audiência que assistia ao nosso programa seria enorme. Não era exatamente o que eu precisava ouvir antes de aparecer ao vivo em rede nacional, mas acabou sendo uma experiência verdadeiramente emocionante.

As pessoas têm se referido ao *O Aprendiz* como uma espécie de "retorno" para mim, mas eu nunca estive afastado. Eu sempre fui grande. E meus edifícios estão cada vez maiores – e melhores!

E se você, fisicamente, está maior do que nunca, adicionei outro novo elemento a este livro: "A dieta Mar-a-Lago", um breve guia sobre os hábitos alimentares dos bilionários e das pessoas que almoçam com eles. Sou adepto da dieta Mar-a-Lago, e mesmo não sendo considerado magro, sem essa dieta, eu certamente seria um desastre total.

Então, vire a página e comece a ler o único livro escrito por mim que o deixará rico e magro. Talvez um dia você se junte ao clube dos bilionários. Tenho certeza de que vou gostar da sua companhia.

PARTE I

BENS IMOBILIÁRIOS

Quando as pessoas ouvem o nome Trump, pensam em duas coisas: riqueza e imóveis, e agora a presidência dos Estados Unidos. Portanto, como este livro inteiro é dedicado à criação e ao desfrutar da riqueza, preciso começar pelo básico. O básico, para mim, diz respeito a propriedades. O setor imobiliário está no centro de quase todos os negócios, e certamente, é o cerne da riqueza para maioria das pessoas. Para aumentar sua riqueza e melhorar sua inteligência comercial, você precisa conhecer o universo dos imóveis.

O que segue é um ótimo conselho. Aqui estão algumas dicas úteis para os inquilinos iniciantes, bem como para os proprietários de várias residências. Então, continue lendo.

COMO ESCOLHER UM LOCAL

Eu odeio a frase "localização, localização, localização", porque vi muitos idiotas arruinarem boas localizações e muitos gênios fazerem investimentos incríveis em locais horríveis. Você poderia entregar o terreno da *Trump Tower* (de longe, a melhor localização da cidade de Nova York) e um idiota poderia destruir completamente o local. Isso eu garanto.

Mas quando se trata da sua casa, você deve sempre escolher uma boa localidade. Gastar mais em uma boa localização é muito mais inteligente do que conseguir uma pechincha em uma área ruim. Fica próximo do seu trabalho? O bairro é seguro ou você correrá risco de vida ao entrar e sair? É perto de estabelecimentos, como restaurantes, supermercados, lojas e bancos? Você sente que pertence à vizinhança ou se sente deslocado? Sou o primeiro a admitir que a localização deve ser seriamente considerada ao investir em imóveis. Muito no processo de escolher um local se resume ao instinto. Você precisa acreditar naquela localização; caso contrário, estará fazendo um péssimo investimento.

Seja honesto consigo sobre a proximidade do local com o resto de sua vida. Se encontrar um apartamento, uma casa ou um escritório de sua preferência que inclua horas de viagem adicional em seu dia, ou exija entregas e serviços caros, ou impeça as pessoas de visitá-lo, você pode procurar outro lugar. Sei que nem todos podem viver e trabalhar na *Trump Tower* (certamente funciona para mim), mas, diante da possibilidade, você deve encontrar um local que funcione melhor para você.

Dê uma volta pelo bairro. Passe algum tempo lá. Quais são os hábitos da vizinhança? A que horas eles acordam e quando vão para a cama? Que tipo de pessoas moram e trabalham naquele lugar? Além disso, observe os fins de semana. Alguns bairros de Manhattan são incrivelmente agitados durante a semana toda e completamente mortos no fim de semana, e vice-versa. O que pode acontecer se você se mudar para um apartamento e perceber que há uma boate do outro lado da rua tocando música todas as noites ou que caminhões de lixo se reúnem lá depois de fazer as rondas no início da manhã? Ou você ficará louco ou se mudará, e nenhuma das duas coisas são boas opções.

A vista é importante. Não conheço ninguém que queira passar a vida olhando para um respiradouro ou para uma parede de tijolos. Se você puder escolher, opte por uma bela vista. Mas você precisa ser cauteloso em relação à vista, principalmente se estiver pagando mais por isso. Naquele momento, o edifício pode ter vista para um estacionamento ou para um terreno vazio, mas isso pode mudar em uma semana. Em cidades como Nova York, os edifícios são construídos à taxa de um por dia, portanto, certifique-se de que a vista de hoje será a mesma de amanhã.

Quando se está especulando ou investindo em imóveis que não necessariamente servirão como sua casa ou escritório principal, geralmente aconselho que encontre um espaço em um bairro mais afastado, compre ou alugue a um preço mais baixo e aguarde que o bairro sofra uma valorização. Você economizará em impostos, fará uma contribuição significativa para o desenvolvimento de uma região e ganhará mais dinheiro a longo prazo. Se você tiver o tempo, a paciência e a coragem necessárias, essa é a minha recomendação. Quando comprei os pátios no *West Side*, as pessoas pensaram que eu estava louco, mas acabei provando que estavam erradas, como meu empreendimento lá pode atestar. Hoje em dia, trata-se de uma das áreas mais desejáveis e valorizadas de toda Manhattan.

COMO ALUGAR UM APARTAMENTO

Muitas pessoas alugam apartamentos sem pensar seriamente sobre a decisão. Eu não entendo essas pessoas. Mesmo que alugar um apartamento não seja o mesmo que comprá-lo, o local servirá como sua casa e deve ser analisado com cuidado. Sua casa não é apenas uma parte crucial na maneira como você se sente, mas também é um reflexo de como os outros o veem. Os bilionários, mesmo aqueles que alugam suas casas, levam muito tempo para encontrar lugares para morar, e você também deveria.

Na cidade de Nova York, um mercado imobiliário que conheço muito bem, as pessoas costumam considerar uma sorte poder encontrar qualquer coisa para alugar. Há uma demanda enorme e, às vezes, centenas de pessoas andarão pelas ruas visitando "latas de sardinha" com preços exorbitantes que todos viram anunciadas no *The New York Times*. A maioria dessas pessoas estará preparada – com cartas de referência, extratos bancários, faturas de cartão de crédito e com uma competitividade que pode ser feroz. Para entrar no jogo desse mercado de apartamentos, ou em qualquer outro mercado imobiliário, você precisa fazer sua lição de casa. Tenha uma ideia clara da sua situação financeira e das suas necessidades de vida.

Ficar indo cegamente de apartamento em apartamento será um desperdício de tempo para todos – especialmente para você.

Acredito que um apartamento deve ser alugado com a ajuda de um bom corretor. Certamente pode ser alugado sem a ajuda de um, mas para mim é como tomar remédios sem consultar um médico ou abrir um processo sem um advogado. É possível, mas é algo estúpido. Os corretores conhecem os bairros e os mercados específicos por dentro e por fora deles. Eles conhecem os valores das propriedades, os prós e os contras de certos prédios, as regras e os regulamentos de preços e aluguéis, e os detalhes do arrendamento real. Os corretores são instruídos e licenciados, e há uma boa razão para isso. Eles impedirão que você cometa erros que lhe custarão muito dinheiro e, no meu caso, milhões, muito mais do que as taxas cobradas por eles. Eles também economizarão seu tempo filtrando os apartamentos que não atendam aos seus critérios.

Mas você nunca deve acreditar em tudo que um corretor lhe diz. Afinal, o corretor está lá apenas pela comissão, ainda que possa parecer tão preocupado e acolhedor. E quando se trata de comissão, esteja você vendendo, comprando ou alugando, sempre negocie. Às vezes, os corretores fazem um trabalho incrível e merecem uma boa comissão, mas quando começar a parceria, sempre negocie, desde o início. É muito mais fácil negociar a taxa logo no início da relação com o corretor. Tentar barganhar com corretores no meio ou no final de uma transação é uma atitude ruim nos negócios.

Se você não pode pagar pelos serviços de um corretor ou simplesmente quer ir sozinho, procure nos anúncios de jornais ou nos quadros de avisos. Pergunte e ande por aí. Algumas das melhores histórias que ouvi sobre Nova York foram sobre encontrar apartamentos que simplesmente surgiram do nada – como as histórias de pegar um táxi com chuva forte na véspera do Ano Novo. Isso pode acontecer, mas as probabilidades são baixas. *Em Harry e Sally: Feitos um para o outro*, Billy Crystal lê os obituários para encontrar os apartamentos de pessoas que tenham falecido recentemente. Se quiser tentar encontrar um apartamento sem a ajuda de um corretor de imóveis, pode tentar essa estratégia, por mais mórbida que possa parecer.

Independentemente de você ter ou não um corretor, encontre um lugar onde ficará feliz por um longo tempo. Mudar-se a cada dois anos é cansativo e caro. E o mais importante, descubra o que você pode pagar. Não é uma preocupação para mim, mas eu jamais gastaria mais de 25% do meu salário em aluguel – não importa o quão incrível seja o apartamento. Cada centavo gasto em aluguel é um dinheiro que você poderia usar em outro lugar – seja para economizar, ou com os serviços públicos, ou para desfrutar das coisas boas da vida. Não há problema em ficar um pouco apertado, acreditando que em alguns anos você estará ganhando mais dinheiro, mas isso não é uma certeza – e saiba que, certamente, seu aluguel aumentará na mesma proporção do seu salário. Os inquilinos que não conseguem pagar o próprio aluguel não vão mudar de vida rapidamente – e certamente, nunca conseguirão entrar no clube dos bilionários.

COMO LER UM ANÚNCIO
OU OS CLASSIFICADOS

Frequentemente, as pessoas recorrem a anúncios, classificados ou outras listagens para encontrar apartamentos e casas para alugar. Não seja bobo! Particularmente em Nova York, os anunciantes farão armários infestados de ratos parecerem a cobertura da *Trump Tower*. Aprenda a identificar anúncios mentirosos para não perder tempo visitando apartamentos que deveriam ser demolidos e não habitados. Todos os anunciantes deveriam escrever romances, pois claramente têm muito talento para a ficção.

Preste atenção a palavras como "descolado" e "charmoso", que podem ser traduzidas como "inabitável" e "degradado". Anúncios de moradias "recém-reformadas" geralmente significam que o proprietário simplesmente instalou novos puxadores nos armários do banheiro. Outras frases que devem deixá-lo preocupado incluem "charme antigo" (leia-se: "dilapidado"), "acolhedor" (leia-se: "minúsculo") e "recém-pintado" (leia-se: "não há nada de bom a dizer sobre o apartamento, exceto que ele recebeu uma nova camada de tinta"). Tudo o que parece bom demais para ser verdade é exatamente isso – especialmente quando se trata de apartamentos.

Além disso, preste atenção às informações que não estão sendo fornecidas pelo anúncio. Se não informar o número do apartamento, pode apostar que é no primeiro andar (onde nunca é bom viver por causa dos crimes e do barulho) e, se não houver menção ao tamanho do apartamento, provavelmente é algo muito vergonhoso para ser mencionado no anúncio. Além disso, se não tiver uma fotografia, cuidado. Até os piores apartamentos podem parecer palacianos em fotos; portanto, é algo muito suspeito não ter nenhuma fotografia quando outros apartamentos no anúncio têm uma.

Casas, apartamentos e escritórios precisam ser tocados e vistos antes de serem alugados ou comprados. Anúncios e classificados podem apontar na direção certa, mas é sua responsabilidade investigar minuciosamente qualquer propriedade de seu interesse.

COMO COMPRAR UMA CASA

O mercado imobiliário pode ser aterrorizante, o que é, em parte, a razão que me faz amá-lo tanto. Mas pode ser bastante assustador quando envolve o que provavelmente é o seu bem mais valioso: a sua casa. O mercado muda todos os dias, às vezes a cada minuto. Para os interessados na compra de casas, alguns dos quais compram apenas uma casa durante toda a vida, tentar acertar o *timing* do mercado imobiliário pode ser uma enorme perda de tempo. Em dez, vinte ou quarenta anos, qualquer pequena variação no preço da sua casa terá virado poeira nos seus registros financeiros.

Você deve seguir seu instinto, se ama uma casa e pode pagar, e seu corretor garante que está pagando um preço justo de mercado, estará pagando o melhor preço. É simples assim. Quando se trata da casa própria, não se preocupe em gastar mais do que realmente vale, se tiver certeza de que viverá lá para sempre e será feliz. Às vezes, o preço emocional que você coloca em uma casa pode exceder o preço de mercado. Comprar uma casa é diferente da matemática pura de investir em imóveis. Se você simplesmente não pode comprar uma casa que ama, não fique envergonhado de fazer uma proposta menor; às vezes o vendedor poderá surpreendê-lo.

Antes de começar a procurar uma casa ou até mesmo de descobrir o que você pode comprar, verifique se tem algum dinheiro em caixa. Os corretores e vendedores o levarão a sério e você aumentará seu poder de negociação à medida que for capaz de aumentar o tamanho do seu pagamento inicial. Comprar uma casa é um investimento sério, bancos e financiadores estarão lá para ajudá-lo a realizar esse investimento.

Normalmente, o comprador de uma casa não terá acesso a cem por cento do financiamento e você precisará investir tanto quanto o seu financiador. O pagamento inicial deverá ser um parâmetro pessoal para o tamanho do seu compromisso com a casa. Não perca de vista seu equilíbrio financeiro porque, no final das contas, tudo se resume a isso.

Embora seja bom ter em mente os custos ao comprar uma casa, não exagere. Não tente economizar dinheiro com coisas necessárias, como não fazer uma pesquisa de valor ou confiar em pessoas que não são bem recomendadas ou desconhecidas. Não tente economizar pequenas quantias de dinheiro em itens que são partes importantes do processo. Às vezes, as pessoas tentam erroneamente economizar dinheiro na hora de fechar o negócio em uma transação imobiliária, já que alguns ajustes provavelmente ainda serão feitos e as negociações não terão terminado. Mas não seja cabeça dura e sovina quando se trata de comprar uma casa. É contraproducente.

Apenas reserve um pouco de dinheiro antes de iniciar o processo de compra da casa (chame-o de orçamento de reserva) e, então, as situações jurídicas e financeiras que surgirem não serão ignoradas com a intenção de reduzir custos. Prejudicar a compra de sua casa logo no início acabará assombrando você no futuro.

COMO OBTER UMA AVALIAÇÃO E UMA INSPEÇÃO DA CONSTRUÇÃO

Digamos que você encontrou a casa dos seus sonhos. Uma localização perfeita, arquitetura perfeita, preço perfeito. Tenha cuidado. Sempre saiba com o que estará se endividando. Não deixe que seus sentimentos enganem seu cérebro e não se apresse (ou permita que seu corretor – que sempre estará lhe falando sobre outros possíveis compradores – apresse você também). É melhor ter pesquisado muito aquela oportunidade e perdê-la do que cometer o erro de comprar algo que pode se arrepender depois.

A melhor forma de verificar a situação de um imóvel é a avaliação. O banco indicará um avaliador próprio e, na maior parte das vezes, você será o responsável pelo pagamento da avaliação. A avaliação não deve ser vista como uma despesa irritante que apenas beneficiará o banco. A avaliação também beneficia você. Os avaliadores são profissionais e poderão ver coisas que poderiam passar despercebidas aos olhos da maioria dos compradores de imóveis. Faça perguntas e faça sua lição de casa, mas, no final, aceite a opinião do avaliador. Algumas das descobertas do avaliador podem ser ofensivas ou surpreendentes, e a verdade pode doer, mas o trabalho dele é ser objetivo. Uma avaliação justa apenas o ajudará no final das contas.

Uma série de coisas – algumas das quais são regulamentadas pelo governo (como controle contra enchentes) – podem afetar a propriedade. Outros fatores, como a proximidade de fios de alta tensão, podem ou não ser tão visíveis. Você provavelmente não vai acabar comprando o Castelo do Diabo, mas não deve esperar que todo vendedor lhe conte todos os traços desfavoráveis de uma propriedade. É melhor presumir que algumas coisas não serão divulgadas, seja por ignorância, esquecimento ou subterfúgio. Se está confuso com o que estou dizendo, assista ao filme *Um dia a casa cai*, com Tom Hanks, para se familiarizar com as dores de cabeça de ter ignorado ou desistido de fazer uma avaliação do imóvel.

No caso da compra de um imóvel com fundos hipotecários, provavelmente você também deverá solicitar a um inspetor de obras que examine as instalações. A inspeção da construção é geralmente requerida, mas você deve sempre solicitá-la pessoalmente. Um inspetor-engenheiro licenciado e experiente poderá detectar se as instalações elétricas estão funcionando adequadamente, se o ar-condicionado é suficiente, se é necessária a instalação de uma bomba para o reservatório de água e assim por diante. Pense em uma inspeção da construção como um raio-X; o inspetor poderá ver toda a casa e identificar quaisquer problemas no funcionamento como um todo. Por exemplo, que tipo de material foi usado na tubulação de uma casa? Galvanizado? Latão? Cobre? Sintético? Tubos galvanizados enferrujam e não duram tanto quanto tubos de latão, que não duram tanto quanto tubos de cobre, que não duram tanto quanto tubos sintéticos. Somente um inspetor de construção poderá chegar a esse nível de detalhamento em uma casa ou apartamento.

Se o inspetor o deixar nervoso ou se você sentir que está trabalhando rápido demais, procure outro profissional. A inspeção é importante demais para ser feita sem atenção.

Algumas vezes, os problemas encontrados pelos inspetores são corrigíveis a um custo razoável, mas outras vezes eles encontram questões que não podem ser resolvidas sem grandes reformas ou mesmo uma demolição completa do imóvel. O inspetor fornecerá um relatório objetivo e independente que pode ou não afetar o valor da casa, mas, de uma forma ou de outra, você pode solicitar ajustes no preço com base na inspeção.

Outra dica rápida: alguns investidores cometem o erro estúpido de supor que imóveis recém construídos não precisam ser inspecionados. Errado! Novas construções costumam ter os maiores problemas, principalmente se a construção e a contratação tiverem sido feitas de maneira desleixada. Além de problemas estruturais, hidráulicos e elétricos, novas construções podem sofrer com problemas de mofo e outras questões que normalmente são associadas a imóveis mais antigos.

COMO VENDER UMA CASA

Se estiver vendendo a sua casa e houver pouca procura, nenhuma procura ou alguma procura, mas nenhuma oferta, é bom revisar o preço. O mercado imobiliário é muito volátil e os preços mudam diariamente. Quando se trata de preços, sempre me lembro do ditado "anúncios antigos, assim como soldados antigos, nunca morrem – eles simplesmente desaparecem". Além disso, não se preocupe com a concorrência; conte com isso – você economizará muito tempo. A concorrência pode até ajudá-lo, atraindo compradores em potencial interessados no mesmo mercado.

Se você tem certeza de que sua propriedade é valiosa, tenha paciência. Desde que se mantenha realista em relação ao valor do imóvel, sempre haverá um comprador. Mar-a-Lago estava à venda há muito tempo antes que pudesse vê-lo e decidido a me mudar para aquele local magnífico. Eu era o comprador ideal para o local e aquele era o momento certo para mim – e, por fim, também para o vendedor.

Apenas certifique-se de que o que você tem a oferecer é o melhor e não precisa se preocupar com mais nada. Se tem um corretor de imóveis, verifique se ele entende qual é o valor daquela propriedade para você. Mas não seja cabeça-dura demais se o seu corretor achar que o a propriedade vale muito menos do que você pensava. O corretor de imóveis é o especialista e você está pagando não apenas pelo serviço, mas também pelos conselhos dele.

Seu corretor, se ele ou ela for bom no trabalho, anunciará estrategicamente a venda da propriedade. Muito interesse não é necessariamente uma coisa boa; desconfie de um corretor que falha na triagem de candidatos e permite que o mundo inteiro passeie pela sua casa. Os bons corretores examinam os candidatos à pré-qualificação, negociam em seu nome pelo melhor preço e facilitam os processos legais e financeiros. Você pagará ao corretor de imóveis uma comissão significativa (geralmente da ordem de seis por cento e, às vezes, até mais); portanto, ele ou ela está trabalhando para você e deve trabalhar duro para ganhar essa comissão.

Algumas pessoas tentam vender casas sem corretores – não é uma estratégia que eu recomendaria. Mas se você estiver com vontade de fazê-lo, fique à vontade. Se você quer atuar como seu próprio corretor, o melhor conselho que tenho é: aja como um verdadeiro corretor de imóveis. Fazer isso exigirá muita coragem, muita estratégia e muita paciência.

Um artigo de Lynnley Browning, intitulado *O doce e o amargo da venda direto com o proprietário*, na edição de 6 de junho de 2004 do *The New York Times*, deixou claro o quão difícil pode ser (mas também a economia de dinheiro) vender sua própria casa. Você pode encontrar o artigo dela e talvez pegar alguns livros para ajudá-lo nessa jornada. Você precisará se informar a respeito dos direitos de título, formulários legais e o mercado de preços; também deverá pesquisar as leis do seu Estado para evitar ser processado se o teto ceder ou o mofo tomar conta do local depois que você sair. Tudo isso parece uma dor de cabeça para mim e é por isso que sempre recomendo a contratação de um corretor de imóveis.

COMO ENCONTRAR UM BOM ESCRITÓRIO

A localização é, provavelmente, a preocupação mais importante quando se trata de encontrar um bom escritório. Chegar às reuniões, entregar bens e serviços e atrair clientes e consumidores pode ser um aborrecimento se você estiver em uma localização ruim. Você, seus clientes e seus funcionários precisam estar felizes e produtivos nesse espaço, e cortar custos e escolher um espaço de escritório ruim é uma maneira rápida de destruir os seus negócios.

Pense no espaço ideal para você, presumindo que haja espaço suficiente para alguma expansão sem que seja necessária uma mudança em um futuro muito próximo. Se encontrar um espaço inacabado nos arredores do local desejado, essa estratégia poderá ser lucrativa para você no futuro. Isso pode exigir mais tempo e planejamento antecipado de sua parte, mas poderá trazer enormes benefícios financeiros e profissionais. Estar à frente da maioria é o melhor lugar para estar.

Também é importante escolher um escritório em um edifício que esteja bem conservado e que seja bem administrado. O proprietário é famoso por não consertar o sistema de aquecimento? Os elevadores estão funcionando bem e os banheiros são limpos regularmente? Ninguém que eu conheço quer passar um tempo em um escritório – trabalhando ou apenas fazendo negócios – que seja pouco atraente, desconfortável e inóspito.

O seu local de trabalho e a aparência desse espaço são tão importantes quanto o local onde você mora, talvez até mais. Pense nos dois espaços da mesma maneira e você será grato por isso. Eu trabalho no mesmo escritório dentro da *Trump Tower* há mais de vinte anos. Hoje, a localização e o espaço funcionam tão bem quanto há vinte anos. No entanto, não é uma questão de sorte. Há vinte anos eu sabia exatamente onde estaria hoje.

COMO LIDAR COM UM CORRETOR DE IMÓVEIS

Por que um novato tentaria entender o valor de uma grande obra de arte? Escolha seu corretor de imóveis da mesma forma que escolheria um negociante de arte – ou seja, de maneira criteriosa. E, como em muitas coisas, o tempo é crucial para o sucesso. Fique a par das coisas e certifique-se de que você e seu corretor sejam honestos um com o outro em cada etapa do processo. Um bom corretor imobiliário ouvirá e responderá às suas preocupações. Se ele demorar dias para retornar suas ligações ou chegar atrasado às reuniões, pegue emprestado minha fala e simplesmente diga: "Você está demitido!". Existem inúmeros outros profissionais que merecem o seu negócio. Afinal de contas, você é o cliente.

Os melhores corretores de imóveis sabem que tudo o que for bom para você será bom para eles. Eles ganham dinheiro apenas quando você finaliza uma transação, portanto, os melhores profissionais não perdem tempo tentando vender ou alugar algo apenas por uma comissão. Meu conselho é encontrar um corretor de imóveis confiável e com uma boa reputação que demonstre ter experiência negociando imóveis ao longo de vários anos na área em que você deseja morar.

Como em todas as áreas da vida, os corretores de imóveis também se especializam. Por que perder tempo com um corretor que conhece apenas imóveis de luxo quando procura um apartamento mais acessível de um dormitório?

Os melhores corretores são psicólogos, ou ao menos são pessoas incrivelmente perspicazes. O trabalho deles é descobrir o melhor negócio para você, mas para ajudá-los a descobrir isso, você precisa ser sincero e honesto com eles. Não tenha vergonha de dizer a eles que não pode pagar por algo ou que não gosta de um espaço específico. Corretores experientes dizem que geralmente podem perceber as pessoas que são sérias com as duas primeiras perguntas, e essas são dicas sobre como proceder.

Jamais siga os conselhos de qualquer corretor de imóveis que seja muito insistente. Esse tipo de atitude deve deixá-lo cauteloso. Os corretores de imóveis não precisam se comportar dessa maneira e, se o fizerem, é melhor não insistir com eles. Eu conheço alguns corretores fantásticos, discretos, sinceros e genuinamente interessados no bem-estar dos seus clientes.

Susan James, que administra o escritório de vendas do *Trump International Hotel and Tower*, é uma das pessoas mais elegantes que você irá conhecer e essa elegância não é apenas uma encenação para ganhar a sua simpatia. Ela permanece amiga de seus clientes por muitos anos depois de estarem alegremente acomodados em seus apartamentos. Susan é clara sobre o que está lhe mostrando antes, durante e depois. Essa é a característica de um grande corretor de imóveis.

Encontre um bom corretor e as suas chances de encontrar ou vender o lugar certo pelo preço certo serão aumentadas em cerca de cem por cento. A comissão que pagará a esse profissional será um dos melhores investimentos que você poderá fazer.

COMO CONTRATAR UM ADVOGADO

Em algumas regiões, os advogados em geral não estão presentes na conclusão de negócios envolvendo imóveis. Em outras regiões, eles são absolutamente necessários. Se o custo for razoável, contrate um, mesmo que a situação pareça simples. Jamais assino um contrato sem consultar um advogado e trabalho com contratos o dia inteiro. A propriedade imobiliária pode envolver conceitos legais complicados, alguns deles remontando à época do feudalismo. Se você acha que a situação é simples e não pode pagar as taxas que normalmente são cobradas, a maioria dos advogados está disposta a negociar os seus honorários. E se a situação se complicar e um honorário maior for cobrado, você não deverá reclamar. Você deve se considerar sortudo, pois provavelmente evitou alguns problemas que, de outra forma, não seriam percebidos.

Como pode contratar um bom advogado, se você ainda não conhece algum profissional em quem possa confiar? Ligue para qualquer associação de advogados, pois eles geralmente têm serviços de referência. Não peça ao seu corretor da hipoteca para indicar um advogado. Embora os corretores sempre conheçam muitos advogados, pode haver um conflito de interesses interno se a venda precisar ser cancelada. O advogado pode relutar em recomendar a rescisão do contrato, uma vez que a pessoa que o indicou perderia uma comissão. É melhor buscar uma recomendação independente de um advogado que tenha experiência em negociações com o tipo de imóvel em questão – alguém que tenha uma boa reputação aos olhos de pessoas que você conhece e confia.

COMO OBTER A MELHOR HIPOTECA

Até bilionários precisam pegar dinheiro emprestado de vez em quando, e eu aprendi muito sobre hipotecas ao longo dos anos. O primeiro passo é saber o que você está hipotecando. Sei que isso parece óbvio, mas é incrível quantas vezes vejo pessoas procurando uma hipoteca para algo que claramente não sabem o valor.

Existem inúmeros livros explicando como conseguir a melhor hipoteca. Muitos desses conselhos são bons, muitos são senso comum e muitos deles não são seguidos adequadamente. Você provavelmente vai encontrar uma dúzia de livros sobre hipotecas em sua biblioteca pública, mas o que realmente precisará entender é o que executivos de bancos e empresas de seguros pensam sobre empréstimos, propriedades e sobre você. Muitas vezes, os credores tiram o máximo proveito dos idiotas; portanto, lembre-se de se informar antes de encontrá-los.

Assim como na compra de um imóvel, solicitar uma hipoteca funciona melhor quando você tem opções. Pesquise, compare os preços, faça perguntas e sempre negocie. Existem inúmeras opções no mercado de hipotecas. O truque é encontrar a hipoteca que funcione melhor para você – para sua conta bancária, para seu salário e para seus planos futuros. Uma hipoteca é um produto – assim como a casa ou o carro que está comprando por meio dela –, então você deve conhecer os detalhes antes de "comprá-la". Negocie bastante e não tenha medo de não fechar o negócio.

Os corretores de financiamentos podem parecer esquizofrênicos, oferecendo taxas e acordos diferentes de um minuto para o outro. Nunca, jamais aceite a primeira oferta e peça sempre pelas melhores condições. Negocie ou você será comido vivo! Se receber uma oferta melhor do Credor A, sempre volte ao Credor B e veja se ele consegue cobrir a oferta. Afinal, cada credor está vendendo o mesmo produto – dinheiro – então não importa de onde ele vem. As hipotecas são feitas para serem negociadas e não fazer isso é o mesmo que queimar dinheiro na rua. Se está comprando ou hipotecando uma casa ou uma habitação familiar, você precisa saber como estão as finanças. Certamente a empresa de hipoteca terá que saber. Aqui estão algumas recomendações:

1. **Procure uma assessoria contábil.** Seu advogado e corretor de hipoteca também podem ajudá-lo.

2. **Conheça o histórico fiscal da propriedade e também qualquer possível aumento nos impostos.** Algumas situações que podem indicar um aumento nos impostos incluem: a necessidade de uma nova escola, uma reavaliação pendente, um sistema de esgoto em mal funcionamento ou obrigações jurídicas não pagas. Depois de

assumir o ônus de uma hipoteca, a última coisa que você precisará é de uma enorme carga de impostos a pagar.

3. **Procure por custos ocultos.** Sempre existem alguns, e eles podem levá-lo à falência se você não tomar cuidado. Uma análise abrangente e sólida de custos é crucial. Por exemplo, e se o prédio não puder ser assegurado com as taxas comuns do mercado? Como os custos de aquecimento, água e dedetização variam ao longo do ano? Tente antecipar todos os cenários que poderiam colocá-lo em risco financeiro.

No final de tudo, a companhia hipotecária desejará saber o que você sabe. A companhia hipotecária está lá para ajudá-lo. Se eles não estiverem felizes com uma determinada situação associada à propriedade, você também não deve estar feliz com ela. Provavelmente a companhia tem mais experiência do que você e já viu como outras propriedades podem se transformar em verdadeiros pesadelos quando hipotecadas.

Lembre-se também de que as companhias hipotecárias costumam vender suas hipotecas a outras empresas, bancos, empresas de seguros; as pessoas com as quais estará lidando inicialmente podem não ser as mesmas para as quais você enviará seu cheque todos os meses. Nesse caso, é possível que você receba avisos para enviar seu cheque mensal a diferentes empresas ao longo de vários anos.

Normalmente, você será pessoalmente responsável por qualquer hipoteca residencial e existe uma boa chance de ser obrigado a dar uma garantia pessoal, também em qualquer investimento hipotecário. Se você assumir uma hipoteca, poderá pagar uma garantia, mesmo que tenha se preparado completamente. As garantias podem ser solicitadas devido aos altos e baixos do mercado, catástrofes relacionadas ao clima e a todos os tipos de questões relacionadas a seguros.

A respeito do seguro de titularidade, que deve contratar para se proteger contra fraudes como a falsificação de escrituras anteriores e outros atos ilícitos, é algo que também deve ser cuidadosamente discutido com seu advogado. Não espere para ser pego de surpresa.

O setor imobiliário pode oferecer grandes oportunidades por meio de hipotecas, capitalização e possivelmente até com a administração à distância, mas não aposte nisso. Como qualquer outra coisa na vida, exige muita cautela, dedicação, trabalho duro e um pouco de sorte. Na verdade, não há nada de complicado em hipotecar propriedades, mas é necessário cuidado e estudo.

Qualquer pessoa que tenha visto aqueles comerciais na TV no meio da noite, nos quais indivíduos afirmam que estão aposentados no Havaí pois ganharam fortunas comprando, vendendo e alugando imóveis, deve saber que os vendedores desses cursos ganham mais dinheiro com a venda dos mesmos do que com o mercado de imóveis. Esses *infomerciais* nunca falam sobre a montanha de problemas que podem estar associados à propriedade dos imóveis.

COMO ESCOLHER UM CORRETOR DE HIPOTECA

Uma boa maneira de obter uma hipoteca é passar a responsabilidade para outra pessoa. Sair por aí comparando taxas de hipotecas pode ser algo demorado, por isso, pagar alguém para fazer isso por você pode ser uma maneira de poupar tempo. Encontre um corretor de hipotecas, mas algum que seja um excelente profissional. Essas pessoas estão envolvidas diariamente no mundo das hipotecas, o que significa que precisam saber onde obter as melhores taxas, quem oferece as melhores condições e onde será mais vantajoso aplicar.

A longo prazo, com a orientação de um corretor de hipotecas, você provavelmente pagará menos por tudo, já que o corretor saberá que tipo de encargos ocultos existem ali, evitando vários problemas. Além disso, as empresas de hipoteca procuram manter uma boa relação com quem tem o hábito de indicar negócios a elas. Certamente existem muitas questões técnicas, como a duração da hipoteca, se há garantias envolvidas, as condições de inadimplência e uma série de outras coisas que um corretor hipotecário e um bom advogado poderão informá-lo a respeito.

Peça ao seu corretor imobiliário que recomende um corretor de hipoteca ou obtenha uma indicação de amigos, colegas e vizinhos que recentemente tenham feito uma hipoteca. Assim como o seu corretor imobiliário ou advogado, o corretor hipotecário deve ser alguém com quem você se sinta à vontade para trabalhar – alguém que levará em consideração, em primeiro lugar, os seus interesses financeiros, e não os próprios.

COMO ESCOLHER A TAXA DE JUROS
E O VALOR DA ENTRADA

As taxas de juros não são tão complicadas quanto parecem, mas antes de entrar em qualquer empreendimento imobiliário, você deve aprender tudo sobre elas. Eu sempre penso nas taxas de juros simplesmente como o "custo do dinheiro". A taxa de juros é como uma taxa anual de associação ou uma conta de luz; é o valor anual que pagará pelo uso da hipoteca. É como ser sócio de um clube de golfe exclusivo, no qual você é o único com as chaves da sede do clube.

Você deve se atentar para o fato de que algumas instituições tentarão enganá-lo com taxas de juros variáveis, de modo que suas taxas possam ser reajustadas, dependendo do cenário econômico. Se você é avesso a mudanças e deseja minimizar os riscos, eu recomendo trabalhar com taxas fixas. As taxas de juros têm caído nos últimos vinte anos e há boas razões para acreditar que elas só subirão no curto prazo. Os titulares de hipotecas com taxas variáveis podem ser forçados a executar a hipoteca se os pagamentos se tornarem muito altos. Se esse cenário o assusta (e deveria), escolha uma taxa de juros que você sabe que poderá pagar durante todo o período da hipoteca.

Diante de uma taxa de juros que seja boa demais para ser verdade, desconfie. Na verdade, as taxas de juros não deveriam ser a coisa mais importante a ser pensada, embora certamente precisem ser consideradas com atenção. Para obter a melhor taxa hoje existem muitos tipos de serviços e informações disponíveis que podem indicar o que vários bancos estão cobrando. A Internet está repleta de informações a respeito disso (mas tenha cuidado, pois nem todas são informações precisas). As publicações na área de economia também costumam mapear as taxas de juros.

Se você conseguir uma taxa muito menor do que a existente no mercado, poderá ter problemas. A empresa pode não estar mais ativa quando for a hora de fechar a hipoteca ou podem cobrar taxas abusivas no momento da conclusão. Em qualquer hipoteca, o credor também cobrará taxas variadas e é aconselhável certificar-se de que não esteja sendo enganado. Uma boa regra para se ter em mente é: quanto menor a taxa de juros, maiores serão as outras possíveis taxas. Leia todas as cláusulas do contrato. Procure uma taxa de juros baixa, mas lembre-se de que uma taxa mais baixa pode acabar custando mais. Quando se trata da entrada, a quantia deve ser determinada em grande parte pelo seu orçamento. Uma entrada mais baixa resultará em prestações maiores na hipoteca e vice-versa. Dependendo de onde você mora, a entrada será em torno de 20% do valor total do empréstimo. Na cidade de Nova York, onde a concorrência por imóveis é acirrada, as porcentagens tendem a ser muito maiores. Se você é um bom negociador e deseja ficar com o máximo de dinheiro livre possível, tente reduzir o valor da entrada.

COMO E QUANDO REFORMAR

Caso esteja hipotecando um imóvel que já possui, verifique se ele está em boas condições. Para um edifício que abriga várias famílias, deve-se prestar atenção em todos os tipos de coisas, como as condições do telhado, escadas, elevadores, áreas de armazenamento, aquecimento de água e tudo mais. Basta dizer que, se o prédio não estiver em boas condições, um oficial de hipotecas experiente não vai querer emprestar o dinheiro. Nem um banco lhe emprestará dinheiro para um edifício se eles não acreditarem que você irá preservar e proteger sua garantia. Por que fariam isso?

Se você está prestes a hipotecar uma propriedade, jamais deve fazer reparos apenas para fins estéticos. Faça reparos significativos e depois venda a propriedade ou hipoteque-a por muito mais dinheiro. Reforme a cozinha; conserte o banheiro; passe uma nova camada de tinta. Meu pai costumava dizer que todas as propriedades deveriam ser vendidas em seu "estado ideal". Ele me dizia isso o tempo todo. Todos sabemos o que isso significa e é um dos melhores conselhos que ele já me deu. Afinal, uma lata de tinta de 15 dólares pode adicionar mil dólares ao valor da sua propriedade; mil dólares investidos em paisagismo podem adicionar 10 mil em valor; e 10 mil dólares investidos em reformas podem adicionar 100 mil dólares no valor final da propriedade. Você entendeu a ideia.

Além de reformar antes de vender o imóvel, você poderá optar por reformar depois de comprar ou ao longo dos anos enquanto estiver morando ou trabalhando ali, tornando o espaço mais agradável e funcional. Renovação é sinônimo de dedicação. Pode ser algo caro e demorado, por isso é importante que você decida se as reformas valerão ou não a pena antes de se comprometer com a realização de uma. As reformas só valem a pena se o seu coração e seu talão de cheques estiverem prontos para isso. Se não estiverem, a reforma se transformará em uma enorme dor de cabeça. Reformar pode ser, muitas vezes, mais difícil do que construir do zero.

Sempre achei que a parte mais complicada das renovações é harmonizar as mudanças com os elementos originais do projeto. Nem sempre é fácil. Às vezes, apenas encontrá-los pode exigir muito trabalho de investigação. Tenho um funcionário em Mar-a-Lago que passa a semana inteira, todos os dias, apenas acompanhando o trabalho de azulejos no local. Há cerca de 36 mil azulejos espanhóis em Mar-a-Lago, a maioria dos quais remonta ao século 15. Eu sei que pode parecer ridículo, mas os ladrilhos por si só exigem esse tipo de atenção, e é isso que eles recebem. Você não pode simplesmente deixar um investimento como esse se deteriorar. Esteja preparado para esse tipo de dedicação ao iniciar reformas sérias.

O *Mar-a-Lago Club* é um exemplo clássico de renovação inteligente. Além do mérito histórico do lugar e da beleza encantadora, Mar-a-Lago tem sido um investimento fenomenal – ainda mais valioso pelo trabalho duro que minha equipe e eu dedicamos à sua renovação. É muito mais do que um imóvel ou um investimento; é uma obra de arte que exige um trabalho interminável e meticuloso – trabalho que não é apenas financeiramente recompensador, mas também é gratificante espiritualmente. Eu me certifico de que tudo o que é feito ali seja de primeira, porque Mar-a-Lago está lado a lado com os palácios venezianos em termos de requinte e beleza. É uma propriedade que merece o que há de melhor.

O teto, o piso, as paredes, os lustres, os espelhos – é preciso estar muito atento aos detalhes ou todo o empreendimento irá por água abaixo. Por exemplo, passei cerca de oito meses escolhendo as cadeiras certas para o salão de baile que está sendo construído em Mar-a-Lago. O salão de festas tem cerca de 1.500 metros quadrados de área, de modo que as cadeiras serão uma grande parte da sala. Eu já vi provavelmente centenas delas até agora. Elas precisam ser perfeitas, senão poderão diminuir a beleza do ambiente ou até mesmo estragá-lo. O dourado das cadeiras deve combinar com todo o resto da sala, e a forma e o conforto também são aspectos a serem considerados. Você deve estar tão atento aos detalhes quanto eu, independentemente do tamanho do seu projeto. Esse ponto deveria ser óbvio, mas vou falar disso assim mesmo: nunca, nunca faça reformas sérias em um imóvel que você está alugando ou comece a negociar reformas em um imóvel antes de fechar a hipoteca. Fazer isso é financeiramente destrutivo e uma enorme perda de tempo.

COMO FAZER UM PROJETO DE PAISAGISMO

Depois de encontrar sua casa ou escritório, contrate uma empresa de paisagismo de renome para ajudá-lo. O paisagismo agregará um imenso valor à propriedade. A *Trump Tower* é um dos edifícios mais visitados da cidade de Nova York e parte da atração são as árvores que decoram o edifício. Se você nunca esteve em Nova York, a *Trump Tower* deve ser sua primeira parada. É de tirar o fôlego.

É incrível. Árvores, arbustos, pedras e flores podem transformar os edifícios mais ordinários em obras de arte. O paisagismo pode agregar valor a um edifício muito acima do custo da mão de obra e dos materiais. Se você não puder pagar por um paisagista, faça você mesmo. Eu sempre brinco que o paisagismo por conta própria é duplamente benéfico; é barato e faz bem para sua saúde.

Se você odeia trabalho físico, como eu, contratará alguém. O truque é encontrar alguém com o seu gosto que possa trabalhar dentro do seu orçamento e respeitando o seu cronograma. Lembre-se de que o mais barato nem sempre é o melhor. Assim como com os empreiteiros, o trabalho de má qualidade precisará ser refeito ou, ainda pior, corrigido, e isso pode ser um desastre. Ao contratar um paisagista, encontre uma empresa com boa reputação pedindo recomendações a seus vizinhos ou a outros empresários.

Além disso, tente visitar alguns projetos realizados por aquela empresa. Se o projeto estiver mal feito, você saberá imediatamente que deve procurar outra pessoa. Você também poderá verificar o equipamento que o paisagista está usando. Se o equipamento for ruim, é provável que o serviço também seja ruim. E, finalmente, certifique-se que o trabalho que eles estão fazendo vai durar por anos, com uma manutenção mínima. Ninguém quer ter que replantar todos os anos. Um paisagista pode fazer um trabalho incrível, mas se dentro de seis meses o projeto estiver desgastado e morto, você terá jogado seu dinheiro fora.

Obviamente, ajuda muito ter dinheiro e influência. Quando estou construindo e ajardinando campos de golfe, adoro comprar árvores bonitas. Às vezes, porém, essas árvores não estão em viveiros; às vezes elas estão no quintal de uma pessoa. Posso estar andando de carro por uma estrada, ver uma grande árvore e pedir ao motorista da limusine para encostar. Eu bato na porta. Geralmente, uma mulher atende a porta e eu digo: "Olá, senhora. Eu adoraria comprar sua árvore." Ela dirá: "Oh, meu Deus! É o Donald Trump! Não posso acreditar que isso esteja acontecendo!". E depois direi a ela que estou construindo um campo de golfe nas proximidades, como o que estou construindo em Los Angeles, nas margens do Oceano Pacífico. Normalmente, eu consigo comprar a árvore. Comprei muitas árvores excelentes dessa maneira e elas podem ser vistas em todo o país nos meus campos de golfe. O dinheiro não pode comprar a felicidade, mas com certeza pode comprar algumas árvores grandes.

COMO FAZER A DECORAÇÃO DE INTERIORES

Para mim, os decoradores de interiores são tão essenciais quanto os corretores de imóveis. Eles valem cada centavo. Se você conhece o seu gosto, contrate um profissional que possa ajudá-lo a refinar as suas preferências e que trabalhe para criar o ambiente perfeito para o seu trabalho ou para a sua casa.

Se encontrar um espaço que lhe agrade – seja uma sala de estar, um restaurante ou um escritório – faça perguntas. Quem foi o arquiteto? Quem é o responsável pela decoração? Assim como contratar um corretor ou um empreiteiro, escolher o decorador certo funciona melhor quando se tem uma boa indicação e quando se trata de um profissional com gostos semelhantes aos seus. Certifique-se de que o decorador trabalhe para atender os seus desejos, e não os dele. Parte do trabalho deles é conhecer os gostos de seus clientes, seja de forma inata ou não, e encontrar a melhor maneira de exibir esses gostos na decoração.

A maioria das pessoas acha que os designers de interiores são uma extravagância desnecessária, mas acredite, eles o farão economizar tempo e dinheiro e valorizarão o seu espaço. Decorar um ambiente não é tão simples quanto entrar em uma loja de móveis e escolher algumas peças. Bons *designers* de interiores têm talento para o planejamento espacial, escolhendo cores, materiais e, o mais importante, eles sabem negociar. Os melhores *designers* de interiores têm essa rara combinação de talento artístico e inteligência comercial.

Mesmo algo tão simples como escolher um tapete pode levar dias e dias folheando livros de amostras. Não consigo pensar em nada mais chato. Em vez disso, bons *designers* de interiores vasculharão depósitos, antiquários e *showrooms* de móveis para você e, em seguida, apresentarão um plano, incluindo amostras de tecido, carpete e tintas, além de *layouts* e temas. Com os melhores *designers* de interiores você apenas fica sentado e diz: "Ah, isso é perfeito. Eu jamais teria pensado nisso."

A maioria dos decoradores trabalha com comissões (entre dez e quinze por cento e, às vezes, até vinte ou vinte e cinco por cento). Em vez de resmungar a respeito da comissão, veja pelo lado positivo. Os decoradores não apenas economizam o seu tempo (e, no final, dinheiro, pois você não cometerá tantos erros), pois os revendedores e os depósitos sempre concedem descontos para decoradores que não estão disponíveis para o consumidor comum. Eles podem repassar esses preços para você. A matemática simples diz que é melhor pagar comissão sobre o preço de um sofá com um desconto profissional de cinquenta por cento do que sobre o preço cheio. Por exemplo, se um decorador encontra um sofá que custa US$2 mil, mas pode comprar por US$1 mil com o desconto para profissionais, somando a uma comissão de vinte por cento, você pagará US$1.200 no total. Até um idiota percebe o que é mais vantajoso. E, claro, gostos mais caros resultam em economias ainda maiores. Ainda assim, negocie para tentar diminuir a comissão.

Ao trabalhar com um decorador, peça para ver todas as faturas. Os decoradores são, por natureza, pessoas honestas, mas você deve estar sempre atento de qualquer maneira. Não há problema em questioná-los sobre certas despesas, mas não pechinche muito, porque os produtos de alta qualidade custam mais. Interiores decorados com produtos de qualidade duram anos; portanto, cortar despesas pode significar um ambiente pouco atraente com o qual você terá que conviver – ou redecorá-lo, a um custo ainda maior.

Certa vez, contratei um *designer* de interiores cujo portfólio de trabalhos havia me impressionado. Eu estava ocupado na época e não passei muito tempo com o *designer* nem pude acompanhar o progresso do trabalho. Eu apenas presumi que o trabalho estaria em pé de igualdade com o portfólio apresentado. Os resultados foram um pesadelo. Tentei conviver com aquela decoração, mas depois de um mês não aguentei mais e pedi que tudo fosse retirado. Precisei começar tudo de novo. Essa mudança me custou uma pequena fortuna, mas me ensinou uma lição que aprendi uma vez e nunca mais esqueci: em primeiro lugar, encontre a pessoa certa e, depois, monitore o andamento do projeto.

COMO LIDAR COM EMPREITEIROS

Se você acha que corretores imobiliários e *designers* de interiores o deixam nervoso, passe um dia comigo quando estiver trabalhando com empreiteiros. Eles são como cavalos de corrida – podem ser muito preguiçosos na hora da largada, e depois podem acelerar até a linha de chegada e surpreendê-lo. Não existe meio termo. Eles podem ser pessoas realmente difíceis de lidar, mas se você se preparar, poderá ter uma experiência melhor trabalhando com eles. Tenha sempre em mente que eles tentarão se safar o máximo possível. Mas se você os corrigir, acabarão entrando nos eixos. Empreiteiros são um povo estranho – e não estou ofendendo ninguém ao afirmar isso, porque eles sabem disso tão bem quanto eu.

Alguns podem fazer maravilhas e por fim o farão. Outros nunca farão maravilhas, o que, no fim das contas, você também acabará descobrindo. E é por isso que deve escolher empreiteiros que já conheça ou que têm um bom histórico de trabalhos anteriores. Se você é novo no ramo de contratação de empreiteiros, pergunte a vizinhos, amigos e colegas sobre empreiteiros com quem eles trabalharam. Nove em cada dez pessoas vão fazer verdadeiros relatos de terror e, se não o fizerem, pegue o nome do empreiteiro e entre em contato.

Sempre busque as referências desses profissionais. Solicite ao empreiteiro um histórico de outros dez trabalhos feitos por ele no último ano. Trabalhos realizados a quatro ou cinco anos atrás não são bons indicadores; os trabalhos precisam ser recentes. E não solicite apenas duas referências; pergunte pelos dez últimos trabalhos. É fácil agradar apenas dois clientes, mas apenas um grande empreiteiro consegue deixar dez clientes felizes a curto prazo.

Depois de contratar um empreiteiro e negociar o orçamento, meu melhor conselho para você é ser duro com eles. Se não agir assim, eles vão pensar que você é bonzinho e que o trabalho será moleza. É preciso que você esclareça tudo o que espera deles. Seja claro e franco a respeito dos prazos e da inflexibilidade do seu orçamento. Se precisar que a obra seja concluída em um determinado período de tempo, mantenha os empreiteiros até essa data. Se ficar de olho no trabalho deles, mantendo-se o mais bem informado possível, terá maiores chances de os empreiteiros o respeitarem e fazerem um bom trabalho.

Eu conheci alguns empreiteiros que demoraram dois meses para finalizar a reforma de um único banheiro porque tinham tantas "emergências" em casa que pareciam não conseguir fazer nada. O pobre casal acreditava em todas as histórias tristes e até dava biscoitos caseiros, *brownies* e lasanhas aos empreiteiros e a seus infelizes amigos e famílias. Esses empreiteiros engordaram cerca de dez quilos cada, e só depois que o casal descobriu o que estava acontecendo foi possível terminar o banheiro – em menos de dois dias. É incrível – e às vezes criminoso – o que acontece no mundo dos empreiteiros.

COMO GARANTIR QUE SUA
PROPRIEDADE SEJA VALORIZADA

Valorize a sua propriedade e ela se valorizará por você. Se visito um dos meus edifícios e vejo algo fora do lugar – algo que apenas os olhos mais exigentes conseguiriam identificar –, certifico-me que aquilo seja consertado imediatamente. Tinta lascada, manchas nos estofados, uma lâmpada faltando – se você não ficar atento à manutenção, a propriedade se deteriorará rapidamente. Pequenos problemas se multiplicam.

Você deve isso a si mesmo e à sua comunidade, tornando sua propriedade a melhor possível. Todo esse trabalho e dedicação são combinados em uma manifestação única de criatividade, energia, economia e talento. Um grande edifício é um símbolo de uma época e das pessoas que o construíram. Ele representa a economia e o espírito da época em que foi construído. Os edifícios podem dar enormes contribuições para a sociedade, que permanecerão muito tempo após a nossa estadia aqui e, se construídos corretamente, terão cada vez mais valor com o passar do tempo.

Portanto, garantir que sua propriedade seja valorizada, não é apenas uma etapa crucial para se tornar um bilionário, como é também uma responsabilidade cívica. Sou um filantropo comprometido com muitas instituições de caridade, mas talvez minhas maiores contribuições tenham sido os prédios e as propriedades construídos em diversas comunidades. Aumentar o valor de uma única propriedade tem um efeito cascata no grupo ao seu redor. Todos os edifícios que carregam o nome Trump valorizaram os seus arredores – não apenas economicamente, mas culturalmente também.

Além das medidas que você pode tomar para aumentar o valor da sua propriedade (paisagismo, decoração de interiores, reformas), também é preciso que converse com seus vizinhos para garantir que eles tenham os mesmos objetivos que os seus. Meu conselho? Participe ou crie uma associação de bairro. As associações de bairro ajudam a controlar o crime e o trânsito, mantêm parques e outros espaços de recreação e monitoram a eficiência de serviços como a coleta e reciclagem do lixo.

Você é aquilo que o rodeia. Você pode ter o melhor terno Brioni do mundo inteiro, mas se combiná-lo com sapatos de baixa qualidade e uma gravata horrível, o terno Brioni é praticamente inútil. O mesmo acontece com as propriedades. Com frequência vejo uma bela casa ao lado de outra casa malconservada – não foi pintada, a grama não foi cortada, há um carro quebrado enferrujando na entrada. Esse tipo de coisa é um ponto negativo para um proprietário, então você precisa trabalhar em parceria com os seus vizinhos para manter o seu investimento.

Além disso, se o valor de sua propriedade estiver ameaçado, escreva cartas para os políticos locais. Outro dia escrevi uma carta ao prefeito Bloomberg sobre as condições deploráveis na Quinta Avenida, em Manhattan. Os vendedores ambulantes estão arruinando a imagem da rua. Eles afirmam ser veteranos de guerra com o intuito de receber isenções para vender bugigangas e *souvenirs*, mas apenas alguns deles são realmente veteranos. Você vê vendedores ambulantes na Avenida Montaigne em Paris? Penso que não.

PARTE 2

DINHEIRO

Quando você tem muito dinheiro, ainda assim pode ter uma vida miserável. Mas prefiro ter esse tipo de miséria do que a miséria sem dinheiro.

O dinheiro pode não crescer nas árvores, mas ele cresce do talento, do trabalho duro e da inteligência. Eu tenho talento para ganhar dinheiro; algumas pessoas não. Mas parte desse meu "talento" é minha motivação e minha ética de trabalho. Portanto, mesmo que você não tenha nascido com a genética para ser bilionário, ainda poderá trabalhar duro e, se tiver sorte e inteligência, pode se tornar um milionário. Talvez você possa até tornar-se um bilionário.

Não posso negar que algumas pessoas tenham mais sorte do que outras. Isso é um simples fato da vida. Mas você pode criar a sorte. Lembro de uma noite, quando estava devendo bilhões de dólares e a mídia – que em um primeiro momento dizia que eu era brilhante – havia me transformando em um lixo total. Naquela noite, eu tinha um jantar para ir e não queria aparecer por lá de jeito nenhum. Eu simplesmente não me sentia bem, mas algo dentro de mim me fez levantar e ir.

No jantar daquela noite, acabei sentado ao lado de um dos muitos banqueiros que estavam ali. Foi uma das noites mais afortunadas da minha vida. Ele me deu ótimos conselhos e me indicou uma nova direção. O que vem depois disso é história. Portanto, quando se trata de dinheiro, mesmo que você esteja quebrado ou endividado, sua sorte pode mudar a qualquer momento. Você tem que trabalhar duro para fazer a sua sorte mudar, então continue lendo para aprender exatamente como poderá fazer isso.

COMO SER UM BOM INVESTIDOR

Um bom investimento requer inteligência financeira. Frequentemente, os bilionários são abençoados com um alto QI financeiro. A maioria deles poderia ser considerada gênios das finanças. Mas o seu QI financeiro não é um número fixo e você pode aprimorá-lo todos os dias. Meu QI financeiro está sempre melhorando enquanto observo minhas muitas empresas e minha equipe. Trabalho duro para garantir que meus negócios permaneçam ativos, não passivos, e você deve considerar suas participações da mesma maneira.

Tendo um diploma na Wharton e a experiência de uma vida inteira em investimentos, explicarei algumas coisas para aqueles que não foram abençoados com tais vantagens. Finanças e negócios são uma mistura complexa de componentes que abrangem um amplo espectro de empreendimentos. Eu penso nisso da mesma maneira que um artista pensa na técnica. Você precisa conhecer as técnicas básicas antes de aplicá-las a diferentes formas de arte, como desenho, escultura ou pintura. Como construtor, uso minha técnica financeira como um plano básico para lidar com transações cada vez mais complexas. Ao longo dos anos, esses planos foram se tornando maiores e mais complexos — e também mais lucrativos.

Bons investidores são bons estudantes. É simples assim! Passo horas, todos os dias, lendo a mídia financeira (*The Wall Street Journal*, *Forbes*, *BusinessWeek*, *Fortune*, *The New York Times*, *Financial Times*). Eu também leio muitos livros e outras revistas; você nunca sabe de onde irá surgir a sua próxima grande ideia. Você deve estar por dentro de todas as notícias de sua área de trabalho e, além disso, de todas as notícias locais, nacionais e globais. A ignorância a respeito dos assuntos atuais pode destruir a sua credibilidade — e a sua conta bancária também.

As pessoas sempre perguntam o que gosto de assistir na televisão. Normalmente, só me interesso por programas de televisão que podem melhorar meu QI financeiro. Minha única indulgência quando se trata de televisão são os esportes. Para notícias e conselhos financeiros, é claro, assisto *O Aprendiz*, mas também assisto o noticiário de negócios da *CNBC*, Larry King, Bill O'Reilly, o *Today Show* e *Fox Cable*. Independentemente do que decidir assistir ou ler, estude um pouco todos os dias. É essencial que você mantenha sua mente aberta e alerta.

E se você é jovem, não pense que não tem experiência suficiente para ter boas ideias de investimentos. Algumas das minhas melhores ideias surgiram quando eu tinha 22 anos de idade. Quando você é jovem, não se censura tanto, e as ideias que surgem não serão ofuscadas por suas experiências comerciais. A genialidade é a capacidade de dar novas formas ao que já existe, e muitas vezes as pessoas mais jovens são os maiores gênios.

Se você ainda estiver na escola, preste atenção. A educação é uma máquina de dinheiro. Se você já deixou a escola há muito tempo, considere se matricular em um curso de educação financeira. Alguns cursos de finanças podem ser chatos, mas sempre os tornei mais interessantes aplicando os princípios ensinados imediatamente em algum projeto, imaginário ou real, com o qual eu pudesse trabalhar em minha mente. Dessa maneira, eu já estava obtendo experiência da vida real enquanto ainda estava na escola.

COMO SEGUIR OS INDICADORES DE MERCADO

Um investidor experiente absorve qualquer informação. Você precisa ler os jornais, assistir as notícias e ouvir o mundo atentamente enquanto ele gira ao seu redor. O ideal é que você acompanhe as tendências do mercado todos os dias – e não apenas as suas próprias ações, mas de maneira global. É uma grande tarefa e são necessários anos de prática para sintetizar as informações de mercado da maneira que os melhores investidores fazem. Embora acontecimentos recentes no mundo financeiro tenham deixado uma mácula na imagem dos empresários, a maioria de nós é gente altamente instruída e trabalhadora. A maioria dos empresários não pratica lavagem de dinheiro, como a mídia quer que você acredite.

Os investidores de sucesso fazem uso dos indicadores de mercado por dois motivos: (1) para avaliar como eles se saíram no passado e (2) para fazer previsões mais precisas sobre como o mercado se comportará no futuro. Se as bolsas *Dow Jones*, *Nasdaq* ou a *S&P* parecem estar sempre lesando o seu portfólio de ações, considere fazer alterações em seus investimentos ou passar a administração do seu dinheiro a um corretor de ações. Se, em vez disso, você está sempre à frente da maioria dos indicadores de mercado, pode começar a observar as tendências. Se a bolsa *Nasdaq* se recuperar, como isso afetará o mercado de títulos? Se os indicadores de construção de novas habitações estiverem há um mês em baixa, qual será o efeito disso sobre os preços da madeira serrada ou as taxas de hipoteca? O mercado é como um monstro interconectado e você precisa saber como uma mudança em uma parte pode afetar o monstro inteiro – caso contrário, ele o devorará.

COMO DIVERSIFICAR SEU PORTFÓLIO DE AÇÕES

Se você já se encontra na situação de possuir um portfólio (mesmo que sejam apenas 10 mil dólares), é uma boa ideia consultar especialistas. Trata-se de um negócio arriscado e os especialistas, embora não sejam mágicos, podem fazer um trabalho muito melhor do que você na administração do dinheiro. Eles passam o dia todo rastreando as tendências do mercado, então confie neles. Muitos idiotas ficaram maníacos com a febre das empresas digitais e *startups*, imaginando que poderiam ganhar milhões com esses investimentos, mas a maioria deles perdeu tudo o que investiu.

Eu me considero um investidor experiente, com bilhões de dólares para provar isso, mas nem por isso me atreveria a elaborar estratégias sobre meu portfólio por conta própria. As taxas cobradas pelos especialistas serão nada se comparadas ao dinheiro que você poderá ganhar, especialmente se você encontrar um investidor confiável para trabalhar por você. Vale a pena! Seu dinheiro pode trabalhar por você se o colocar nas mãos certas.

Muitas vezes, quanto mais dinheiro você paga a um consultor de investimentos, mais dinheiro ele fará para você; não se deixe seduzir por conselhos baratos, pois seu dinheiro pode não ir a lugar algum. Alguns consultores cobram uma porcentagem dos lucros; outros cobram por hora ou por reunião. Certifique-se de que quem você decidir contratar seja honesto em relação aos serviços que ele ou ela fornecerá a você.

Para encontrar um consultor financeiro competente e confiável, eu consultaria pessoas que vivem e trabalham na mesma área que você – e que têm rendimentos similares aos seus. Contratar alguém cuja base de clientes está em uma faixa de renda muito diferente não é o melhor caminho a seguir. A Associação Nacional de Consultores Financeiros Pessoais é uma boa fonte de pesquisa.[2]

---

[2] No Brasil, esse setor não funciona como nos Estados Unidos. O órgão oficial do Governo brasileiro que regula o setor é a Comissão de Valores Mobiliários (CVM), que pode ser acessada pelo site <http://www.cvm.gov.br/>. Além disso, existem os AAIs, Agentes Autônomos de Investimentos (*financial planners* e *financial advisers*). Eles não são reunidos num órgão do Governo, mas reúnem-se por região ou estado e trabalham com alguma corretora de valores, como a XP Investimentos, que opera nacionalmente. Em São Paulo, uma das opções para AAIs é a Ancord (http://www.ancord.org.br). (N. P.)

Se você é teimoso e se recusa a contratar alguém para trabalhar com seu dinheiro, vá em frente – mas busque minimizar os riscos, trabalhando com vários investimentos diferentes. Se colocar todo o seu dinheiro em uma ação, em um prédio ou em um empreendimento, e algo ruim acontecer, você ficará sem dinheiro. Simples assim! Eu me considero culpado por provavelmente ser um investidor com pouca diversificação – afinal, quase todos os meus investimentos estão no setor imobiliário. Mas tenho pessoas em várias equipes trabalhando para mim, e aprendi, após anos de experiência, a me proteger quando os mercados estão em baixa.

Criar a combinação certa de dinheiro, títulos e ações para o seu portfólio não precisa ser complicado se seguir a fórmula recomendada por Eric Sacher, um guru financeiro da minha organização. Comece com cem por cento de seus ativos; muito provavelmente estará investindo em uma mistura de dinheiro, títulos e ações. Imagine que cem por cento é o número 100 e subtraia a sua idade. Eric recomenda que você tome a sua idade como porcentagem e invista em dinheiro e títulos, e o valor restante em ações. Dessa forma, conforme for envelhecendo, você minimiza os investimentos em ações, que podem ser muito mais arriscadas e muito mais voláteis do que os títulos.

Mas digamos que você tenha trinta anos de idade e 100 mil para investir. Pela fórmula de Eric, você subtrairia 30 de 100 para chegar à seguinte distribuição: 70 mil (ou setenta por cento) em ações e 30 mil (ou trinta por cento) em títulos e dinheiro. A cada ano, à medida que envelhece, faça alterações para minimizar sua vulnerabilidade ao mercado de ações, transferindo os investimentos para títulos e dinheiro.

Obviamente, você precisará considerar outros fatores, como as condições do mercado e as taxas de juros. Quando o mercado de ações estiver em alta, você pode pensar em aumentar a alocação dos investimentos em ações e, em um cenário com alta taxa de juros, eu recomendaria um aumento na alocação de títulos e dinheiro. Seguindo essa regra básica, uma pessoa que deseja investir algum dinheiro será capaz de fazê-lo de maneira inteligente e lucrativa.

Você também precisa investir tendo em mente suas necessidades financeiras pessoais. Se irá precisar de suas economias para dar entrada em um imóvel ou para pagar a faculdade no curto prazo, não peça aos consultores de investimentos que deixem o seu dinheiro bloqueado. Em vez disso, invista em certificados de depósito bancários (CDBs) ou outra forma de investimento que mantenha seu dinheiro acessível e seguro. [Um investimento em alta no Brasil há alguns anos e que é bastante seguro são os títulos do Tesouro Direto. Você tem a garantia da União e liquidez para quando precisar, pois ele oferece diversas opções].

A pior coisa que pode fazer é deixar seu dinheiro na poupança. É um grande desperdício. O seu dinheiro deve trabalhar para você o tempo todo. Você deve pensar no dinheiro como se fosse a sua equipe de trabalho; você não deixaria a sua equipe ficar à toa, então não deixe seu dinheiro ficar parado também. Mesmo no pior cenário econômico, não há desculpa para colocar dinheiro debaixo do colchão.

COMO COMPRAR AÇÕES E TÍTULOS

Acredito firmemente que, a menos que você tenha informações privilegiadas ou seja um ótimo consultor de investimentos, o investidor médio geralmente está em desvantagem. Portanto, atenção a esses três conselhos:

1. **Faça o dever de casa antes de investir.** Um investidor burro é um investidor pobre.

2. **Se puder pagar, contrate um consultor, e sempre pesquise o que está comprando.** Não embarque nas "dicas do momento" ou na ideia de investimentos milagrosos. Esse tipo de investimento geralmente não acaba bem.

3. **Compre ações de empresas apenas quando entender o que elas fazem.** É sempre mais fácil seguir o comportamento de manada e comprar o que todo mundo está comprando, mas você se lembra do que aconteceu com as ações das empresas de tecnologia que comprou? Invista apenas naquilo que você conhece.

Títulos e ações são um jogo perigoso, por isso, se estiver investindo neste mercado, meu conselho é que seja muito criterioso. Esse é um mercado de grandes apostadores. Algumas vezes você ganhará e, em outras, perderá. Lembre-se que o time da casa está sempre em vantagem, e eu ficaria mais confortável apostando em um dos meus cassinos do que em *Wall Street*. No final das contas, se uma empresa for à falência, os acionistas e os detentores de títulos serão geralmente os maiores prejudicados. Você ficará muito mais confortável apostando em um dos meus cassinos – e provavelmente também ganhará um pouco mais.

Se investir em ações é algo irresistível para você, sempre invista naquelas que você já conhece. Eu sou um profundo conhecedor do setor imobiliário – os meandros e detalhes das negociações e as forças quase invisíveis que fazem o mercado imobiliário funcionar. Eu não entendo nada de biotecnologia, computadores ou sobre o setor madeireiro, então não vou colocar meu dinheiro nessas indústrias. Se você já está jogando, por que apostar em um jogo em que sequer entende as regras? Se, por outro lado, existem empresas e setores que você conhece bem, vá em frente.

Na hora de escolher os melhores títulos e ações para investir, o ponto chave deve ser as pessoas envolvidas. Existem ótimas empresas com ótimos produtos, mas se um imbecil estiver no comando, a empresa estará condenada. Se uma companhia farmacêutica desenvolver uma pílula que prolonga a vida em mais cem anos e todos ficarem enlouquecidos com isso, a empresa ainda poderá ir à falência se um idiota estiver no comando. Então, escolha ações como escolheria um cirurgião. Você não vai querer que um incompetente faça a cirurgia, então não deixe um incompetente cuidando do seu dinheiro.

Observe atentamente os números. A empresa deve apresentar um bom crescimento ao longo dos anos. Se os lucros de uma empresa crescem pouco por ano – ou até perdem dinheiro – descarte essas ações e invista em outra coisa. Como os riscos nos mercados de ações e títulos são enormes, você deve investir apenas se os benefícios forem maiores do que os riscos. E não esqueça que a verdade se revela nos fatos. Os CEOs farão promessas e mais promessas sobre um desempenho positivo no futuro, mas se os resultados não foram apresentados no passado, não espere que sejam entregues da próxima vez. Venda as ações ou títulos e siga em frente.

COMO IDENTIFICAR UMA FRAUDE

Aqui vai uma regra simples: se parece bom demais para ser verdade, é isso mesmo! Essa regra deverá livrá-lo de muitas "oportunidades", logo de cara. O mundo está cheio de canalhas buscando ganhar dinheiro de maneira desonesta e, quando se trata do seu dinheiro, você precisa protegê-lo dessas pessoas. Ao fazer investimentos, principalmente em empresas desconhecidas ou em indústrias suspeitas, certifique-se de fazer o seu dever de casa. Se agir com prudência e cautela, não será enganado.

Muitas vezes, os charlatões tentarão enganar os investidores anunciando um "novo empreendimento", fazendo uso de argumentos convincentes e promessas boas demais para ser verdade. Só porque você não entende sobre algo, não significa que isso seja um bom investimento se lhe parece atraente.

Algumas pessoas chegam com as mais loucas oportunidades de investimento. Outro dia, ouvi um boato de que as empresas farmacêuticas estariam tentando desenvolver um remédio que transformaria homens e mulheres adúlteros em pessoas monogâmicas. Uma espécie de oposto ao Viagra. Alguns cientistas administraram uma injeção hormonal especial em ratos machos com comportamento promíscuo que os impediu de sair atrás de outras fêmeas. Se os humanos tomassem esse tipo de hormônio, um cônjuge infiel poderia dizer ao parceiro: "Opa. Esqueci de tomar meu remédio hoje."

Brincadeiras à parte, não confie em quem precisa do seu dinheiro para um novo empreendimento. A expressão "novo empreendimento" soa para mim como um empréstimo que nunca será pago. Esse é o meu conselho, mesmo que o novo empreendimento seja para criar a pílula da monogamia. Eles querem o seu dinheiro para ter a chance de ganhar dinheiro. Simples assim. Se você não é tão empreendedor ao ponto de criar um projeto próprio, recomendo que busque uma maneira mais segura de investir.

COMO ECONOMIZAR ATÉ MESMO OS CENTAVOS

Quando a revista *Spy* foi lançada, anos atrás, eles decidiram fazer um teste de "Quem é o milionário mais avarento?". A revista enviou vários cheques de cinquenta centavos a cinco dólares para uma lista de milionários em todo o país. Recebi um cheque de cinquenta centavos e nós, da Organização Trump, o depositamos. Eles podem chamar isso de ser avarento; eu chamo isso de respeito por cada centavo. Quanto mais alto no topo da lista dos bilionários, mais irá encontrar pessoas extremamente econômicas. Todo dólar conta no mundo dos negócios e, nesse caso, cada centavo. Economizar cada centavo? Pode apostar que sim. Eu sou a favor disso.

Dar valor a cada centavo é o oposto do desperdício. Eu nunca gostei do desperdício, seja de tempo, esforço ou dinheiro. Acho que herdei essa atitude de meus pais, que sempre foram cuidadosos com tudo, principalmente com dinheiro. Até hoje, não gosto de gastar mais do que o necessário com nada, e sempre tiro um tempo para comparar preços, seja comprando um carro ou creme dental.

Como eu disse antes, sempre assino meus cheques, então sei exatamente para onde meu dinheiro está indo. Da mesma maneira, também tento sempre verificar as faturas para me certificar de que não estou sofrendo alguma cobrança indevida. Há erros humanos (e agora também dos computadores) em todos os lugares – em restaurantes, nas empresas de telefonia, na mercearia, nos hotéis – e você ficaria surpreso com o quanto esses erros humanos podem lhe custar. Não fique obcecado com isso, mas de tempos em tempos, dê uma olhada nas suas contas. Você também deve sempre se sentir à vontade para negociar bens e serviços. Faço isso o tempo todo e sou um dos homens mais ricos do mundo. Eu pechincho, mesmo em lojas sofisticadas. Afinal, quanto mais você paga por algo, mais o vendedor poderá reduzir o preço. Eu odeio comprar no varejo e isso me faz estremecer quando vejo outras pessoas comprando assim. Já entrei em lojas e ofereci 2 mil por um item que custava 10 mil. Isso pode ser um tanto embaraçoso para mim (especialmente porque todo mundo sabe que eu sou o Trump e que sou rico), mas você ficaria surpreso com os descontos que pode conseguir se simplesmente perguntar. Você precisa estar disposto a ir embora da loja, mas depois de se afastar algumas vezes, o preço cairá. É estúpido ser orgulhoso demais para economizar dinheiro.

Outra maneira de economizar dinheiro é evitar as grandes marcas quando possível. Obviamente, compro produtos de marcas renomadas quando a grife está ligada à qualidade de um produto. Equipamentos de golfe, joias e roupas são bons exemplos de produtos de marca como um apelo à qualidade. Mas a aspirina é aspirina, xampu é xampu e cereal é cereal. Portanto, não jogue seu dinheiro fora em embalagens e publicidade.

Entendo que economizar nos centavos pode ter uma conotação negativa – como "avarento" –, mas quando calculamos quanto dez centavos em um preço podem significar se você multiplicar esse valor por cem mil ou por um milhão, o valor de dez centavos fica evidente. Por exemplo, digamos que eu precise comprar cem mil lâmpadas para todos os edifícios que possuo e mantenho a cada ano. Se eu conseguir economizar dez centavos em cada lâmpada, haverá uma economia de 10 mil dólares por ano! São 10 mil dólares que posso investir em um novo edifício, outro investimento ou doar para uma causa que precise mais do dinheiro do que eu.

Preste atenção aos pequenos números nas suas finanças, como porcentagens e centavos. Números que parecem irrelevantes se somam e têm implicações muito grandes. Meus pais me ensinaram a viver com simplicidade desde muito cedo e esta é a habilidade de gerenciamento de dinheiro mais importante que uma pessoa pode ter. Podem me chamar de mão-de-vaca se quiser; eu chamo isso de inteligência financeira.

COMO DECIDIR QUANTO RISCO ASSUMIR NA HORA DE INVESTIR

Tudo se resume a uma pergunta simples: quanto dinheiro você pode se dar ao luxo de perder? Esse é o tamanho do risco que você pode assumir. Se não pode se dar ao luxo de perder, invista com cautela. Esse pensamento faz parte do senso comum e não requer um diploma em finanças para saber isso.

Você nunca deve se apaixonar por seus investimentos. Se isso acontecer, você estará em maus lençóis. Mesmo que eu acredite que um dos meus prédios ou *resorts* é o lugar mais espetacular do mundo (e na maioria das vezes eles são), ainda assim eu sei quando é a hora mudar para outra coisa ou quando devo mantê-los no meu portfólio. Tudo se resume à sua coragem e ao seu cérebro.

Você precisa observar a lucratividade de um investimento. Allen Weisselberg, meu diretor financeiro, deve ser uma das pessoas mais duronas nos negócios quando se trata de dinheiro. Quando eu estava tendo alguns problemas financeiros no começo dos anos 1990, chamei Allen ao meu escritório e disse que veríamos tempos difíceis pela frente. Os bancos estavam prestes a cortar o nosso financiamento. Allen disse: "Não há problema". Ele voltou ao seu escritório, onde renegociou quase todos os pagamentos daquele momento em diante. Ele fez o que era necessário para proteger as finanças – e não sucumbiu diante das pressões dos riscos.

Agora ele está negociando com banqueiros em contratos que superam centenas de milhões de dólares e é tão durão que a maioria dos bancos prefere que eu negocie, e não ele. Allen é um funcionário leal e é um mestre na arte da negociação.

Para ser um visionário e um bilionário, você precisa ir atrás do impossível. Poucos ficam ricos facilmente. Portanto, se você se encontrar em uma situação que considera quase impossível, pergunte-se mais uma vez se desistir é realmente a decisão certa. Você não vai querer desistir e depois ver alguém menos merecedor sair com o pote de ouro embaixo do braço.

Por exemplo, anunciei recentemente que meu prédio na Wall Street 40 está à venda por 400 milhões de dólares. É um valor altíssimo e trata-se de um negócio brilhante. Eu o comprei em 1995 por apenas 1 milhão de dólares. É um edifício histórico de 1929 com setenta e dois andares e agora, infelizmente, o edifício mais alto do distrito financeiro. Quando comprei o prédio, assumi um risco enorme já que ele estava completamente vazio. As pessoas haviam abandonado o distrito financeiro e muitos disseram que meu investimento seria um fracasso. Mas me mantive firme. Hoje o edifício está completamente ocupado, e eu o venderei por pelo menos quatrocentas vezes mais do que paguei. Fazer negócios não é melhor do que isso.

COMO MANTER-SE ATUALIZADO
SOBRE SUAS FINANÇAS

Periodicamente, peço ao departamento financeiro algo que chamo de "pequeno relatório" das finanças. Este relatório demonstra, entre outros dados financeiros, em que pé estão o saldo em caixa, os investimentos, as vendas de unidades em condomínios e assim por diante. Se não o examinasse regularmente, estaria com um grande problema financeiro e não teria ninguém para culpar além de mim mesmo. Você deve analisar a sua situação financeira de vez em quando também.

Acompanhe tudo a respeito de suas finanças e, quando vir uma tendência que não lhe agrade, mude-a! Não presuma que suas ações estão tendo um bom desempenho, que sua casa está valorizando ou que sua empresa está crescendo apenas porque alguém lhe disse isso. Sempre analise os números pessoalmente. Se a coisa ficar feia, você será o único com o talão de cheques nas mãos.

Certa vez, no final dos anos 1980, Jeff McConney, meu controlador, preparou o pequeno relatório e o trouxe para mim. Eu dei uma olhada nos números e disse imediatamente a Jeff: "Você está demitido". Disse a ele que não queria ouvir nenhuma desculpa e que achei que ele estava fazendo um péssimo trabalho gerenciando meu dinheiro. Embora eu seja multibilionário e chefie uma organização multibilionária, cada centavo gasto por essa empresa sai do meu bolso. O que eu estava dizendo a Jeff era que, embora muitos pagamentos precisem ser feitos, é preciso questionar sempre as faturas e nunca aceitar a primeira oferta de um contratado. Negocie! Negocie! Ou caia fora daqui. Jeff entendeu a mensagem, está comigo há dezessete anos e está fazendo um ótimo trabalho. Ele cuida dos meus resultados como se o dinheiro fosse dele.

Se você tem alguém gerenciando as finanças ou está fazendo isso sozinho, o dinheiro, assim como qualquer outra coisa, requer manutenção e planejamento para se multiplicar. Não ignore essa regra, porque, se o fizer, vai acabar perdendo dinheiro.

COMO MANTER-SE MOTIVADO FINANCEIRAMENTE

Conheci alguns empresários brilhantes durante a minha vida, mas alguns deles jamais serão bilionários, porque não agem para concretizar suas ideias brilhantes. Vinte por cento das suas prioridades vão gerar oitenta por cento da sua produtividade. Você deve sempre concentrar seu tempo, energia e esforços nesses vinte por cento das suas prioridades; é um retorno de quatro para um do seu investimento. Portanto, se tem uma ideia genial, não importa quanto trabalho você saiba que será necessário, siga em frente. Não fique aí parado. Não há nada mais criminoso e autodestrutivo do que ter uma ideia brilhante e depois abandoná-la. Como se costuma dizer, um iniciante lento é sempre o finalizador mais rápido.

Certa vez, conheci um cara que tinha ideias fantásticas, falava sobre elas com imenso entusiasmo e depois saía por aí desperdiçando tempo com outras coisas. Ele perdia o ímpeto antes mesmo de começar. De que adianta? Ele era a personificação do termo "falastrão" e vejo e ouço muitos deles todos os dias. Talvez eles estejam apenas se divertindo e, nesse caso, deveriam estar cobrando ingressos, porque essa será a única maneira de conseguirem ganhar algum dinheiro. Mexa-se. Ser rico não combina com um estado de passividade. No fim das contas, o tempo é mais valioso que o dinheiro, porque se você ficar sem dinheiro, poderá recomeçar e conquistar tudo de novo. Mas quando o tempo acaba, não há como recomeçar.

COMO LIDAR COM AS DÍVIDAS

As dívidas precisam ser administradas e a única pessoa que pode administrar a sua dívida é você. Eu sempre digo a mim mesmo que posso aumentar a rentabilidade por meio do financiamento ou diminuí-la através da alavancagem financeira. Estou em uma posição que me permite fazer ambas as coisas. Não deixe que sua dívida o assuste ao ponto de não fazer nada. Dívidas devem impulsioná-lo a trabalhar mais.

Quando passei por momentos difíceis, trabalhei com as dívidas por meio da alavancagem financeira. Eu adorava fazer alavancagem, e ela permite que muitos negócios sejam lucrativos e possíveis. Mas o amor pela alavancagem financeira quando o mercado quebra, em última análise, pode levá-lo à ruína. Conheço os perigos de ter muitas dívidas melhor do que ninguém; então acredite em mim quando digo que é melhor evitar o excesso de dívidas. Hoje em dia, sou uma pessoa muito mais conservadora em relação às dívidas e aconselho você a pensar da mesma forma.

As dívidas podem ser gerenciadas se você planeja minuciosamente as contingências e os contratempos. Conheça os termos do contrato, as multas e os padrões associados à sua dívida. E se você tiver dívidas, certifique-se de sejam dívidas úteis. Não se endivide para pagar despesas regulares; faça dívidas unicamente para financiar empreendimentos e projetos que terão retorno para você. Pessoas com dívidas imensas no cartão de crédito, que possuem taxas ridiculamente abusivas, estão cometendo suicídio financeiro.

Se você estiver endividado, avalie toda a extensão da situação. Qual o valor da dívida? Quanto você está pagando a cada mês para manter essa dívida? Que medidas poderá tomar para se livrar dela?

Reduza suas despesas, pesquise um refinanciamento que permita recalcular a dívida a uma taxa de juros mais baixa e faça os pagamentos mínimos para evitar a perda de crédito. Se esse passo-a-passo não funcionar, consulte um especialista em redução de dívidas. Pode haver alternativas que não são óbvias para você quanto é para um especialista.

COMO ECONOMIZAR E PAGAR PELA FACULDADE

O melhor momento para começar a guardar dinheiro para a educação de seus filhos é no dia em que nascem, se não antes. Uma boa educação não é barata e é importante garantir que seus filhos tenham uma chance no mundo. Abra imediatamente uma conta poupança para a faculdade deles.

Se está pagando por sua própria faculdade, procure subsídios e bolsas de estudo. Existem muitas opções de financiamento estudantil e, como resultado dos altos custos da educação atual, você ainda precisa ser criativo para encontrar uma maneira de ganhar dinheiro enquanto estuda. Não se queixe de ter que trabalhar durante os estudos. Será muito bom para você a longo prazo, não apenas para suas finanças, mas também para a formação do seu caráter. Você acabará a formação acadêmica com uma educação de primeira linha e com alguma experiência de trabalho também.

Também é aconselhável considerar desde muito cedo quais profissões pagam bem e se planejar adequadamente. As profissões que lidam com o físico – esportes e coisas do tipo – são sempre arriscadas e geralmente têm um curto prazo de atuação em comparação com a duração da carreira de um médico ou de um advogado. Você também deve incentivar seus filhos (ou a si mesmo) a serem honestos sobre o que os estimula. As pessoas geralmente ignoram seus talentos e optam por carreiras que não são as mais adequadas para o próprio perfil. Esse caminho leva apenas ao fracasso. As pessoas deveriam ser incentivadas a seguir seus sonhos (com meus filhos foi assim), mas devem saber que muito tempo e dinheiro podem ser desperdiçados perseguindo sonhos que simplesmente não foram feitos para se tornar realidade.

COMO PLANEJAR A APOSENTADORIA

Envelhecer é uma porcaria. Eu odeio isso. Não há nada de bom nisso. Mas não há nada que possamos fazer. Todos nós temos um cartão de crédito que nos foi dado por Deus, mas esse cartão vem com uma data de validade. Se não usarmos esse cartão de crédito da melhor forma, não teremos ninguém para culpar, a não ser a nós mesmos.

Infelizmente, planejar a aposentadoria é parte do processo de envelhecer. A Previdência Social está em maus lençóis por toda parte e quem deposita as esperanças nela para conseguir uma aposentadoria está com mais problemas do que a própria Previdência Social. Você precisa se planejar com antecedência; caso contrário, envelhecer será ainda mais complicado.

Existem muitas maneiras inteligentes e baratas de guardar dinheiro para a aposentadoria. À medida que sua aposentadoria se aproxima, elabore um orçamento anual e tente determinar se há alguma despesa que pode ser eliminada. Reservar cada vez mais dinheiro de sua renda líquida para a poupança é o primeiro passo.

Se ainda estiver trabalhando, aproveite as opções de planejamento de aposentadoria do seu empregador. Todo trabalhador deve ter um plano de aposentadoria e, se sua empresa não fornecer um, exija. O plano de aposentadoria permite que você pegue uma parte de sua renda antes dos impostos (nos Estados Unidos, até 13 mil dólares em diferimentos por ano, para a maioria dos funcionários) e deixe reservado em uma conta de aposentadoria. É uma beleza! Há uma redução na sua renda tributável (e possivelmente sua taxa tributária), e o governo está praticamente dando dinheiro para você economizar. Não há desculpas para não fazer parte de um plano de aposentadoria. Quanto antes, melhor. Você também deve fazer contribuições anuais para uma previdência privada, uma conta financiada com receita da restituição do IR, mas protegida dos impostos sobre ganhos de capital que possam surgir posteriormente.

Além disso, estude todos os seus ativos existentes para garantir que a mistura de investimentos atual atenda às suas metas de curto e longo prazo. Por exemplo, você tem muito dinheiro em ações ou possui várias casas? Nesse caso, realoque o dinheiro das ações e converta cada vez mais suas participações em ativos mais seguros e líquidos.

Depois de otimizar seus investimentos e avaliar cuidadosamente seu orçamento atual, defina uma estratégia de investimentos e despesas para cobrir o resto da sua vida. Você pode alocar a sua carteira de investimentos de acordo com o prazo e o risco que está disposto a correr. Títulos, CDBs e o Tesouro Direto são formas de investimento mais adequadas para aposentados ou pessoas em vias de se aposentar.

Se você planejar com cuidado (e quanto antes melhor), sua aposentadoria deve ser exatamente como deveria ser. Mas quando tiver se afastado do trabalho, uma área jamais deve ser negligenciada: você deve sempre cuidar do seu dinheiro. Na verdade, os aposentados precisam trabalhar muito para garantir que estarão financeiramente seguros até que a morte bata à porta.

COMO PLANEJAR AS SUAS POSSES

Todos nós vamos morrer. O dinheiro não pode impedir esse fato. Na verdade, o dinheiro não pode fazer nada a respeito. Uma coisa que precisa fazer é planejar como seu dinheiro ficará depois que você se for.

As pessoas costumam me criticar, dizendo que meu sucesso se deve à herança deixada pelo meu pai. Isso é absolutamente falso. É verdade que devo tudo ao meu pai, mas não em razão do dinheiro que ele me deixou – mas por causa da educação e das habilidades práticas que me ensinou. Quero fazer o mesmo pelos meus filhos, mas me recuso a aceitar que eles vivam apenas da herança. Eles têm que seguir seu próprio caminho no mundo e estão bem cientes disso.

Poucas coisas na vida se assemelham à alegria de gerar riqueza a partir do próprio trabalho e, em seguida, colocar essa riqueza em movimento na busca de novos desafios. Por outro lado, umas das coisas mais tristes que podem acontecer é quando a riqueza acaba consumindo o próprio dono, que passa a viver de maneira ociosa e improdutiva. Acredito que despejar grandes quantias de dinheiro em seus filhos sem realmente educá-los sobre como colocar esse dinheiro para trabalhar – ou como ganhar dinheiro por conta própria – é a pior coisa que os pais podem fazer. Isso é negligência.

Tenho muitos amigos que, por méritos próprios, por herança ou apenas por sorte, alcançaram uma grande riqueza ao longo da vida. Mas, quando os encontro, muitas vezes saio com a estranha sensação de que a riqueza para eles é mais como uma corda no pescoço do que uma fonte de benefícios. Muitas vezes parecem não ter a coragem, a determinação e, talvez, o talento para, por um lado, colocar o dinheiro para trabalhar por eles e, por outro, usar os recursos que possuem de maneira ativa e responsável.

Para mim, a riqueza não deve ser tratada como uma obra de arte preciosa, pendurada na parede e admirada de tempos em tempos ou trancada em um cofre. Pelo contrário. Para mim, a riqueza é uma ferramenta com a qual podemos alcançar objetivos bem definidos. A minha riqueza está sempre em movimento. Eu a utilizo como uma ferramenta para ajustar algo que esteja precisando de cuidados em um dos meus empreendimentos comerciais e para criar novas oportunidades, atender a novos desafios e, quando faço a coisa certa (o que, tenho o prazer de dizer, acontece na maior parte das vezes), para gerar ainda mais riqueza.

Mas, por mais que eu goste de ganhar dinheiro, a riqueza traz consigo uma grande responsabilidade social. Embora meus negócios e propriedades empreguem milhares de pessoas e, portanto, beneficiem diretamente a sociedade com a renda de meus funcionários, acredito que uma parte da riqueza pessoal também deve ser usada para ajudar aqueles que precisam, para recompensar o bom trabalho, incentivando o trabalho e uma maior produtividade na sociedade como um todo. Dessa forma, todos nós nos beneficiamos.

Portanto, ao planejar o seu patrimônio, você tem duas responsabilidades (três, se considerar os cofres do governo como sua "responsabilidade"):

1. Não mime seus filhos com riquezas indevidas que podem paralisá-los, impedindo-os de trabalhar duro e alcançar o sucesso próprio.

2. Crie um legado que tenha como ponto alto as doações para caridade.

Recomendo que consulte um advogado especializado em planejamento patrimonial. Esse advogado irá informá-lo a respeito das preocupações legais e fiscais para que seu patrimônio tenha o máximo de aproveitamento. O resto é com você.

Se for o caso, sente-se com o seu cônjuge e elabore uma lista de prioridades. Quanto seus filhos precisam ou merecem? Existem membros da família estendida que poderiam se beneficiar de um presente seu? As heranças que deixar devem estar vinculadas a determinados critérios ou limitadas a determinados usos? Quais instituições de caridade você considera dignas?

O patrimônio que deixará como legado deve ser o último grande negócio de sua vida. Pense em seu patrimônio como um investimento no futuro – um futuro que, com sorte, você estará assistindo do alto das nuvens. Certifique-se de que, independentemente de suas escolhas, você poderá ver o maior retorno do investimento. Parte de pensar como um bilionário é pensar em como ficarão esses bilhões depois que você partir.

PARTE 3

OS NEGÓCIOS
DA VIDA

Seja você dona de casa ou professor, advogado ou médico, apresentador de televisão ou instrutor de ginástica, estará fazendo negócios todos os dias. Não existem negócios pessoais e profissionais; são simplesmente negócios, vinte e quatro horas por dia. Você é a sua vitrine, seu próprio gerente e sua a própria marca; portanto, não estrague tudo tomando más decisões de negócios na vida. Não faça perguntas a outras pessoas que deveria estar fazendo a si mesmo. Os bilionários pensam por si mesmos, parando para se auto avaliar e checar as suas motivações a cada passo do caminho. Todos nós vimos em *O Aprendiz* que os dezesseis participantes desejavam aprender alguma coisa. Eles queriam um mentor. Não há nada de errado nisso, mas o trabalho de um mentor é ensinar alguém a ser independente e a pensar de maneira independente também. Muitas vezes, receber um sonoro "não" pode ser tanto uma lição quanto um incentivo para caminhar na direção certa. Mas será uma grande economia de tempo se puder descobrir suas próprias deficiências antes que alguém as note primeiro e as aponte em você.

Se você quer o que há de melhor, é preciso ser o melhor – em todos os aspectos dos negócios.

COMO AMAR O SEU TRABALHO

Os bilionários amam os seus empregos – não porque seus trabalhos os tornam ricos, mas porque jamais teriam se tornado tão ricos fazendo algo que odeiam. Você precisa amar o que está fazendo, pois dessa maneira não parecerá um trabalho para você e, assim, terá a energia necessária para lucrar com aquela atividade. Apenas essa paixão resolverá noventa por cento de todos os problemas em qualquer emprego.

Aqui está outro truque: sempre finja que está trabalhando para si mesmo. Pensando assim, você fará um trabalho incrível. É algo simples, mas funciona. Se perceber que não ama seu trabalho ou que não está fazendo um bom trabalho, exija imediatamente uma reunião com seu chefe. Se a situação não melhorar, peça demissão (e demita seu chefe também) e vá fazer outra coisa.

Eu não quero alguém trabalhando para mim que não queira estar ali e, da mesma maneira, você também deveria estar contente com essa situação. A vida é curta demais e o trabalho é importante demais para que uma pessoa permaneça em uma situação que não está funcionando.

Embora você deva empenhar-se em amar o que faz, esteja sempre preparado para matar um leão por dia. Essa atitude irá mantê-lo em forma para enfrentar os desafios diários e em vantagem no jogo.

Quando souber que ama o seu trabalho, nunca pare e nunca desista. Se você tem um muro de concreto à sua frente, deve atravessá-lo. De qualquer maneira, a vida é difícil, mas o trabalho duro e a perseverança tornam tudo muito mais fácil.

Como se promover

Sempre fico impressionado quando as pessoas me dizem que sou um mestre em me autopromover. Nunca me vi dessa maneira. Acredito que as pessoas confundem as coisas. Muitos pensam que sou bem-sucedido porque fiz muita autopromoção, e não o contrário, ou seja, sou bem-sucedido e uma certa fama surgiu a partir disso. Recebo muito crédito promocional, porque meus prédios são os melhores do mercado. Os prédios me fizeram famoso e não o contrário.

A publicidade vem naturalmente ao fazer aquilo que você faz com excelência. Sou muito bom em construir edifícios e é assim que me promovo – como o melhor construtor de edifícios. E todo mundo está de acordo. Neil Ostergren, um ótimo profissional que costumava administrar a Associação de Vendas, Marketing e Hospitalidade, perguntou a grandes figurões dos negócios quais nomes lhes vinham à mente quando pensavam em construção de imóveis. O meu nome foi de longe um dos mais citados.

Não sou fã da autopromoção, mas acho que é importante divulgar um pouco da sua imagem todos os dias. Faz parte de ter consciência de si mesmo e um senso de propósito. Sem consciência de si ou senso de propósito, você nunca poderá pensar como um bilionário. Portanto, se você é bom em alguma coisa – e não importa exatamente no que (pode ser em sapateado ou leitura de mãos, não interessa) – as pessoas o reconhecerão por isso. E então as pessoas irão procurar você para promovê-lo, e não o contrário. Não se preocupe em sair por aí se autopromovendo. Se seu trabalho merece ser promovido, ele certamente será.

Como se comportar em uma reunião

Quando estiver em uma reunião você precisa ser inovador e encarar os problemas de frente. Caso contrário, as reuniões irão matá-lo lentamente com o tempo. Não suporto reuniões longas e sem sentido. Preciso que as pessoas sejam objetivas, porque sempre existem mil coisas melhores que poderia estar fazendo com o meu tempo. Nada pode sufocar mais a criatividade – e, portanto, os bons negócios – do que longas pautas e aquela ladainha interminável. Em reuniões, como em todos os assuntos de negócios, às vezes precisamos ter algum senso de urgência.

Lembro-me de uma reunião tarde da noite, nos anos 1990, na grande sala da diretoria, onde estavam banqueiros, advogados e membros da minha equipe. Estávamos tentando resolver algumas coisas e naquela época eu não estava exatamente em uma maré de sorte financeira. Olhei ao redor da sala e vi um grupo de rapazes cansados com as gravatas afrouxadas e as mangas arregaçadas, bebendo café e tentando seguir com aquilo.

Em vez de deixar a reunião se arrastar madrugada adentro, decidi avançar alguns anos. Comecei a falar sobre novos negócios que futuramente estaria envolvido. À princípio, recebi olhares perplexos de todos, mas logo o "climão" se dissipou e recomeçamos a reunião com um novo frescor. Esse é um exemplo de como olhar para a solução e não para o problema.

Não importa se está tomando notas ou comandando uma reunião, seu comportamento deve estar sempre em sintonia com o assunto em questão. Tentar chamar atenção ou falar pelos cotovelos é contraproducente e certamente o levará à uma demissão. Você deve preparar uma lista de tópicos – mesmo que seja apenas na sua cabeça – e estar preparado para reunir e repassar as informações necessárias no menor tempo possível. A conversa fiada e as brincadeiras são apropriadas apenas durante os primeiros minutos, mas depois disso, você estará gastando o precioso tempo de todos.

Quando estiver em uma reunião, seja observador e monitore seu comportamento e a maneira como trabalha – tanto em relação a si mesmo quanto aos outros. Tente não perder a paciência, a menos que seja absolutamente necessário ou incontrolável. A raiva geralmente indica falta de inteligência. Lembro-me quando algumas coisas me tiravam do sério e, quando olho para trás, percebo que isso acontecia porque eu não tinha inteligência para ver as coisas como realmente são. Preste atenção à sua raiva: às vezes é um sentimento legítimo e às vezes ela só atrapalha.

COMO ORGANIZAR SEU ESCRITÓRIO

Não costumo manter um escritório absolutamente organizado porque tenho muitas coisas acontecendo ao mesmo tempo. Tenho uma mesa enorme e uma grande mesa redonda, e ambas geralmente estão cobertas com os projetos atuais que precisam da minha atenção. Entretanto, há uma ordem nesse caos aparente e eu prefiro ser produtivo do que apenas organizado.

Recentemente, um jornalista passou uma tarde nas Organizações Trump, na *Trump Tower*, e comentou que a maioria dos escritórios estava bagunçada, mas notou também que o trabalho em equipe era impressionante, assim como o nível de energia dos funcionários. Realizamos muito todos os dias e esse é o nosso diferencial. Portanto, o mais importante não é sobre como você organiza seu escritório, mas como organiza a equipe que trabalha dentro e ao redor desse escritório.

COMO ESTAR ARRUMADO E BEM VESTIDO PARA O TRABALHO

Lembre-se sempre disso: vista-se para o emprego que você quer, e não para o emprego que você tem. Eu não suporto ver a maneira como algumas pessoas se vestem para o trabalho nos dias de hoje. É criminoso. Se alguém entra no meu escritório de tênis, com roupas rasgadas, ou em trajes mais apropriados a uma boate, eu simplesmente não consigo levá-lo a sério. Todo mundo quer fazer negócios com pessoas de boa aparência e se você estiver malvestido não vai chegar a lugar nenhum.

Se quiser ser bem-sucedido na vida, deve começar pelo seu guarda-roupas, afinal, as roupas certas podem transformar um homem e uma mulher. A vestimenta certa não precisa custar uma fortuna, mas você deve investir em algumas peças de qualidade que poderá alternar ao longo de sua semana. É preciso investir dinheiro para ganhar dinheiro, e roupas de qualidade são sempre um bom investimento.

Hoje em dia, as pessoas se arrumam ainda pior do que se vestem: unhas sujas, roupas manchadas, mau hálito, cortes de cabelo ruins, sapatos arranhados e pelos faciais desalinhados. Estar bem arrumado não custa dinheiro; custa um pouco de tempo todos os dias. Você precisa se olhar no espelho para se certificar de que está orgulhoso do que está vendo ali. Se sua aparência for desleixada, seus negócios também serão desleixados.

Algumas pessoas perguntam o que aconteceu com as minhas grandes gravatas vermelhas. Nada. Eu ainda as tenho, só estou gostando de variar um pouco. Depois que comecei a usar gravatas vermelhas, notei que muitas pessoas começaram a usá-las também. Eu também sou um pouco supersticioso. Por exemplo, eu costumava achar que as gravatas vermelhas me davam sorte, então continuei usando apenas elas. Então, um dia, quando usava uma grande gravata vermelha brilhante, fui condenado em uma decisão judicial. Depois disso, decidi abandonar as gravatas vermelhas por um tempo. Passei a variar as cores e estou feliz por isso.

COMO EQUILIBRAR TRABALHO E PRAZER

Se durante a semana de trabalho você só pensa em quantas horas e minutos faltam até o fim de semana, você jamais será um bilionário. Provavelmente, também não será nem um milionário. Bilionários nunca desejam que o tempo passe mais rápido; a vida é boa demais para desejar que ela escorregue pelas mãos. Eu odeio a expressão "sextou" e se você quiser pensar como eu, também deve odiá-la.

Às vezes, meus fins de semana são ainda mais corridos do que minha rotina de segunda a sexta-feira. Geralmente, consigo produzir muito durante os finais de semana, quando os telefones param de tocar e o aparelho de fax para de apitar. Por exemplo, há algum tempo, num final de semana, eu carreguei a tocha olímpica na cidade de Nova York durante uma parte de sua rota enquanto viajava para Atenas. Foi uma grande honra fazer parte de uma tradição tão incrível, e tenho orgulho de todo o trabalho que a cidade de Nova York fez para a realização das Olimpíadas de 2012. Naquele mesmo dia, também tive que fazer três sessões de gravação para *O Aprendiz* e comparecer a um evento de gala – tudo isso no sábado. Entre todas essas atividades, ainda tive tempo de checar algumas atualizações sobre minhas propriedades e fazer vários telefonemas importantes. Sei que algumas dessas coisas parecem divertidas – e foram –, mas também fazem parte do meu trabalho, e me mantenho tão comprometido com ele nos finais de semana quanto durante a semana.

O sucesso exige trabalho sete dias por semana. Se você estiver buscando equilibrar trabalho e prazer, pare de tentar equilibrá-los. Em vez disso, torne seu trabalho mais agradável. Para os bilionários, trabalho e prazer são a mesma coisa. Mesmo quando estou jogando golfe, um *hobby* que me dá um imenso prazer, estou estudando o campo. Se o campo for meu, estarei pensando em maneiras de aprimorá-lo e, se estiver jogando como convidado em outro campo, ficarei atento a ideias e inspirações que possam ser usadas nos meus campos de golfe.

COMO EQUILIBRAR TRABALHO E ROMANCE

Acredite se quiser, eu sou um cara romântico. Se não houver algum romance em minha vida, não tenho muito incentivo para ser o melhor que posso ser. Essa é uma das razões pelas quais eu amo as mulheres. Elas são grandes motivadoras. Acho que qualquer homem honesto concordaria comigo. A busca romântica deve motivá-lo a ser o melhor, a continuar crescendo e aprendendo. Ela deve ser a base a partir da qual você toma muitas decisões na vida. Então, quando se trata de equilibrar trabalho e romance, não acredito que isso seja possível. Esse equilíbrio não deve existir. Um romance deve simplesmente impulsioná-lo a trabalhar mais. Para mim, trabalhar é tão importante quanto respirar; é algo que eu faço automaticamente. Possuo uma força de trabalho inerente que nunca diminuirá. Da mesma forma, meu amor pelas mulheres – especialmente Melania – é uma parte intrínseca da minha personalidade e de meu trabalho.

Esses dois desejos, tanto por trabalho quanto por romance, trabalham juntos nas pessoas de sucesso. Para mim, ambos são empreendimentos que exigem uma entrega total, que dependem um do outro e jamais devem atrapalhar um ao outro. Eu dedico a ambos tudo o que tenho e esse esforço, a longo prazo, sempre valerá a pena.

Como impressionar alguém nos negócios

Aqui estão algumas regras do mundo empresarial que o ajudarão a impressionar as pessoas e, assim, ganhar mais dinheiro:

1. **Seja pontual.** A pontualidade é algo essencial. Você não deve tolerar atrasos e prazos perdidos, tanto em relação a si mesmo quanto em relação as outras pessoas.

2. **Faça o seu dever de casa.** Fazer outras pessoas perderem tempo devido ao mau planejamento e falta de consideração com o próximo apenas deixará uma má impressão.

3. **Faça um dossiê mental sobre as pessoas.** Antes de conhecer alguém pela primeira vez, faça uma pesquisa sobre aquela pessoa. As pessoas ficarão lisonjeadas se mencionar um acordo que sabe que elas fizeram ou uma instituição de caridade em que estão envolvidas.

4. **Lembre-se dos nomes das pessoas e de pequenos detalhes sobre elas.** Faça uso dessas informações nas conversas. As pessoas adoram ouvir os próprios nomes e suas histórias contadas em voz alta.

5. **Ser honesto.** A maioria das pessoas sabe identificar uma mentira e apreciará a sua honestidade, mesmo que não diga exatamente o que elas querem ouvir.

6. **Deixe que as outras pessoas falem.** Qualquer conversa sobre negócios deve ser um diálogo.

7. **Seja autodepreciativo para desarmar as pessoas.** Não seja um trator nos negócios; preserve seus maiores trunfos para quando realmente precisar usá-los.

Alguns podem pensar que os bilionários não precisam impressionar ninguém, mas a maioria de nós ainda vive de acordo com essas regras. Os seus modos, assim como seu dinheiro, precisam ser mantidos o tempo todo.

COMO EQUILIBRAR DINHEIRO E CASAMENTO

Não deixe que ninguém esvazie sua carteira. Em outras palavras, faça um acordo pré-nupcial. Muitas vezes os advogados não recomendam o acordo pré-nupcial, porque poderão obter muito mais dinheiro mais tarde, se você não tiver um.

Todo mundo entra em um casamento pensando que ele durará para sempre. Mas em mais de cinquenta por cento dos casos, os casamentos não dão certo. E quando há dinheiro, imóveis, ações e muitos pertences envolvidos, tudo pode se tornar um pesadelo – e rápido! Essas batalhas podem ser terrivelmente amargas. Muitos de meus amigos passaram por divórcios horríveis e sempre dizem que a separação pode ser como o pior acordo de negócios que se possa imaginar. E não estou falando apenas de homens; as mulheres podem ser igualmente destruídas financeiramente caso não façam um acordo pré-nupcial. Não há nada romântico ou bonito em um acordo pré-nupcial, mas é melhor do que ter que lidar com um advogado desprezível ou comparecer a uma infinidade de audiências judiciais. Eu tive dois acordos pré-nupciais e, sem eles, provavelmente hoje não estaria aqui escrevendo um livro sobre como pensar como um bilionário.

Os negócios são complicados e os relacionamentos também, então a melhor maneira de evitar o caos é fazendo um acordo pré-nupcial. É uma questão de bom senso. Você jamais deve subestimar o poder que o dinheiro tem para destruir relacionamentos. Muitas vezes, o dinheiro pode ser a cola que une as pessoas e também a barreira que as separa. Peça a um advogado para elaborar um acordo pré-nupcial que proteja você e seu futuro cônjuge. As pessoas que não concordam comigo deveriam examinar atentamente a dinâmica de um casal que experimenta uma mudança nas relações de poder por causa do dinheiro. Tanto homens quanto mulheres, mas os homens em particular, têm muita dificuldade em se adaptar a situações nas quais a mulher ganha mais do que o homem. Isso pode acontecer por orgulho, controle ou ego. Pode ser uma situação difícil de se ajustar, mesmo com casais que afirmam ser iguais em todos os aspectos da vida. Muitos relacionamentos desmoronam diante de uma situação dessas. É importante falar sobre dinheiro em um relacionamento, porque cuidar das finanças é o mesmo que cuidar da sua saúde. As finanças dizem respeito ao seu bem-estar, como pessoa e como casal. Já ouvi alguns casais dizerem: "Ah, não falamos sobre dinheiro", como se estivessem tratando de um palavrão ou algo assim. Esse estigma não faz sentido. É como gostar de ser analfabeto. O seu extrato financeiro é o seu boletim. Se você trabalhou duro para tirar A, não deixe ninguém rebaixar sua nota para um D. Este é o meu conselho.

COMO LIDAR COM O CASAMENTO

Um bom casamento é como negociar um acordo importante: você deve considerar todos os fatores, meticulosamente e com cuidado. Se estivesse investindo grande parte do seu trabalho e da sua fortuna em um empreendimento, acredite em mim, você iria pensar no assunto por um longo tempo antes de fechar o negócio. Penso da mesma maneira sobre o casamento. É algo muito sério e importante. Costumo tratar o casamento com a mesma seriedade que lido com negócios muito importantes. Na verdade, levando em conta a quantidade de negociações que fiz em comparação com o número de casamentos que tive, posso dizer que sou bastante cauteloso em relação ao casamento. E você também deveria ser.

Hoje em dia, estou um pouco mais velho e certamente mais sábio, e me casar com Melania foi uma grande decisão, apesar de não ter sido algo surpreendente. Nós nos damos muito bem há alguns anos e estamos confortáveis um com o outro e, além disso, nos divertimos muito juntos. Gostar da companhia da outra pessoa é um grande passo na direção do casamento, e mesmo que isso pareça óbvio, já presenciei muitos casamentos fadados ao fracasso entre pessoas que simplesmente não gostam da companhia um do outro.

Eu realmente acredito naquela ideia de que "há uma grande mulher por trás de um grande homem", ou vice-versa. Estou com Melania há vinte anos e esses foram os melhores vinte anos da minha vida, não apenas no âmbito pessoal, mas nos negócios também – sou o maior e melhor construtor de Nova York; meu programa, *O Aprendiz*, é campeão de audiência e foi indicado a quatro *Emmys*; meu livro *Como ficar rico* tornou-se o livro de negócios mais vendido do ano (de longe); meu programa de rádio tornou-se o maior lançamento na história do rádio (entre mais de trezentas estações de rádio), e assim por diante. Então, decidi que seria melhor me casar logo com a mulher que esteve ao meu lado durante esse período incrível e louco – e rápido!

COMO FAZER BONS AMIGOS

Primeiro, tenha algo em comum. Sou muito amigo de Regis Philbin porque ele é um cara positivo e, por isso, sempre gosto de estar em sua companhia. Eu também sou um cara muito positivo e prefiro ver a vida com bons olhos, e é por isso que passamos bons momentos juntos. Essa é uma receita para uma grande amizade: simples e sólida.

Considere minha amizade com Richard LeFrak. Ele me ligou outro dia, quando eu estava no meio de uma reunião importante, mas eu não poderia deixar de atender seu telefonema. Ele é simplesmente o melhor dos melhores. Estávamos jogando conversa fora e eu lhe disse que estava cuidando dele, pois eu estava na janela do meu escritório e de lá eu conseguia ver o prédio dele, e podia observar o trabalho que estava sendo feito em um andaime. Se os trabalhadores começassem a relaxar ou o trabalho estivesse ruim, pode ter certeza de que eu imediatamente ligaria para o Richard – e ele certamente esperaria tal atitude da minha parte.

Conversamos por mais alguns minutos; ele perguntou sobre minha agenda de filmagens com *O Aprendiz* e eu perguntei como estava a saúde dele. Ele me perguntou sobre os meus filhos e eu perguntei sobre os dele. Ele tem dois filhos incríveis e um deles, Harry, é uma verdadeira máquina que alcançará grande sucesso. Estar atento a esse tipo de detalhe é algo necessário para manter boas amizades. Você precisa dedicar tempo aos detalhes da vida dos seus amigos. Caso contrário, simplesmente não haverá vínculo entre vocês.

E depois há o velho ditado: "para ter um amigo, seja um amigo". Bem, algumas vezes sim. Eu já convivi com algumas pessoas egoístas e, para elas, amizade significa que você deve ser tudo o que elas querem que seja. No momento em que você sair do papel que criaram para você, cuidado! Você é um péssimo amigo!

Ajuda bastante se seus amigos tiverem um nível de confiança igual ao seu, o que eliminará qualquer possibilidade de inveja ou ciúme que eles possam ter. Sou um homem de sucesso e já testemunhei muitas cenas de inveja dissimulada em relação às minhas realizações. Hoje em dia consigo identificar rapidamente quando estou lidando com uma pessoa sincera ou não, porque já conheci muita gente do segundo tipo. Não é uma repreensão, mas trata-se de uma parte da natureza humana da qual estou bem ciente agora.

Steve Wynn, um empresário bem-sucedido de Las Vegas, é um outro amigo. Tivemos alguns altos e baixos, mas de alguma forma nossa amizade parece funcionar, e no final sempre ficamos bem um com o outro. Steve me ligou quando estava pensando em mudar o nome de seu hotel em Las Vegas (que a propósito, será um grande sucesso) de *Le Reve* para *Wynn*. Eu o encorajei a fazer isso. Atualmente, nós dois estamos processando a *HBO*, usando o mesmo advogado, Barry Langberg, já que a *HBO* está tentando fazer um filme horrível sobre uma briga que tivemos em Atlantic City. Espero que a *HBO* seja inteligente o suficiente para fazer as correções antes de gastar muito dinheiro em processos judiciais.

Conheço muitas pessoas de sucesso que só querem estar rodeadas de pessoas que não são bem-sucedidas – isso faz com que se sintam melhores consigo mesmas. Eu tenho um amigo muito bem-sucedido e conhecido que se vangloria de só andar cercado de perdedores. (Como você poderia querer ser um deles?) Eu, por outro lado, não discrimino ninguém – gosto (e não gosto) de todos os tipos de pessoas – vencedores, perdedores e aqueles que estão no meio do caminho.

COMO SABER SE ALGUÉM É LEAL

Demorei muito tempo para descobrir como reconhecer se uma pessoa é ou não é leal. Suponho que foram necessários alguns erros para aprender essa preciosa lição. Não estou certo de que isso possa ser ensinado a alguém. Hoje em dia, consigo perceber melhor as pessoas e suas motivações e a maioria dos meus amigos e colegas se provou leal a mim.

Muitas pessoas invejam bilionários e pessoas bem-sucedidas; então, preciso estar atento a isso toda vez que inicio um novo relacionamento. Na minha vida, as pessoas que reconhecem o preço que paguei para estar onde estou – o estresse, o trabalho duro e até o fracasso – são verdadeiramente leais. Sempre procuro me cercar de pessoas que ficariam ao meu lado mesmo se amanhã eu acordasse pobre.

O melhor momento para testar a lealdade de alguém é quando as coisas estão indo de mal a pior. Quando estava com problemas no início dos anos 1990, aprendi muito sobre lealdade, pois algumas pessoas que pensei que fossem leais acabaram me desapontando. Por outro lado, é claro, havia pessoas que eu pensava que seriam desleais, e foram incríveis. Quando você é bem-sucedido, as pessoas o irão bajular e formarão filas para estar perto de você. Quando as coisas não estão indo tão bem, a lealdade e a deslealdade naturalmente se mostram. Não gosto de testar as pessoas e aprendi que elas mostrarão o que são mais cedo ou mais tarde.

A propósito, quase todas as pessoas que não eram leais a mim no início dos anos 1990 tentaram se reaproximar desde então. Minha resposta a eles é muito simples: vá se f....! Uma coisa que aprendi na vida é que, se alguém for desleal uma vez, será desleal com você novamente.

Eu tinha um amigo em Nova York que me ligava o tempo todo e com quem me divertia muito. Ele é um empresário de muito sucesso (eu acho!). Depois de anos sendo amigo e prestando-lhe inúmeros favores, tive um problema que poderia ser facilmente resolvido por ele. Alegou que a solução do problema estava fora de sua alçada (o que era um absurdo) e não tentou me ajudar. Eu acho que ele nem se esforçou muito. Não preciso dizer que ele não é mais meu amigo.

COISAS

Os bilionários não podem ser definidos simplesmente pelo tamanho de suas propriedades, mas também pela qualidade de seus pertences. Não faz sentido ser bilionário se você não puder desfrutar dos seus bilhões.

Para ter o melhor, você precisa conhecer o que há de melhor. Pensar como um bilionário significa reconhecer o melhor e desfrutar do melhor. E, é claro, isso requer prática. Você consegue citar com confiança as cinco melhores joalheiras do mundo? O melhor champanhe? O empreendimento imobiliário mais luxuoso e exclusivo? Os restaurantes mais famosos? Os melhores negociantes de arte? Caso não tenha essas respostas, você ainda tem um longo caminho a percorrer para ser um bilionário. Mas não se sinta mal, porque eu também não tenho todas as respostas – exceto as do setor imobiliário!

É interessante que as pessoas pensem que *Dom Perignon* seja um bom champanhe, porque realmente é. Mas não é o melhor. Quando ouço pessoas se gabando de bebê-lo, já sei que não conhecem o que há de melhor. Tenha em mente que o mais famoso nem sempre é o melhor.

O melhor é uma busca pela perfeição. Aprimore o seu paladar; não fique estagnado na categoria entre o medíocre e o bom. Essa atitude vai acabar te deixando nessa mesma categoria. Se um *expert* desse uma olhada em sua despensa, guarda-roupa ou itinerários de viagem, como você acha que ele o classificaria? Como você pode buscar o melhor se não sabe o que está buscando? Mas, ao mesmo tempo, lembre-se sempre de que algumas das pessoas mais ricas e bem-sucedidas do mundo, como Warren Buffett (ou, antes de sua morte, o grande Sam Walton), vivem vidas muito simples. Sam dirigia um Chevrolet velho todos os dias para ir ao trabalho – eu adoro isso!

Se quiser ser verdadeiramente rico, reconheça o valor de fazer suas próprias escolhas, em vez de fazer o que esperam de você ou o que todo mundo está fazendo. Se o vinho te faz mal, não beba apenas porque acha que isso vai aparentar sofisticação ou vivência. Isso é ridículo. Se você gosta de vinhos, aprenda tudo sobre eles e, se não gosta, encontre outra coisa para gastar seu dinheiro. Frequentemente, vejo pessoas que supostamente amam vinho fazendo escolhas estúpidas. Fica óbvio que não sabem o que estão fazendo em vários níveis. Mesmo que não queiramos admitir, somos julgados frequentemente por nossas escolhas, mesmo nas pequenas coisas.

O luxo é o que nos tira do ordinário e nos leva ao extraordinário. Aqui está um "guia do consumidor" por Donald Trump, para o que há de mais luxuoso por aí:

O melhor carro: meu carro favorito é um Mercedes. Eu tenho um há muito tempo e ele é confiável, elegante e resistente ao mesmo tempo. Não tenho nenhuma reclamação a respeito do meu Mercedes. Ele nunca me decepcionou. Esses carros não são instáveis e facilitam minha vida. Os Mercedes também são ótimos, porque são elegantes sem serem muito chamativos. Eu também tenho uma Ferrari, uma Lamborghini e vários outros carros em lugares diferentes.

O melhor terno: Eu uso ternos *Brioni*, que compro à pronta entrega. Algumas pessoas acham que os modelos feitos sob medida, em alfaiatarias, são melhores. Eu não recomendo isso, a menos que você tenha um corpo com formato incomum e muito tempo livre.

As melhores abotoaduras: as melhores do mercado são as abotoaduras de diamantes da linha com assinatura TRUMP, que Joe Cinque, da *Five Star Diamond Awards*, me deu. Eu sempre tenho alguma em mãos para presentear e elas são realmente muito bonitas.

De vez em quando, também uso abotoaduras de ouro maciço, mas preciso dizer que prefiro as da linha TRUMP, criadas por Joe.

As melhores camisas sociais: Já usei ótimas camisas ao longo dos anos, mas agora as minhas preferidas são as da *Brioni* (a mesma marca dos meus ternos favoritos). As camisas *Brioni* são feitas com um ótimo acabamento. Eu costumava ter uma lavanderia favorita em Atlantic City, mas amadureci um pouco e agora me acostumei com as lavanderias da cidade de Nova York. Na verdade, quando se usa uma boa camisa, quem realmente percebe isso?

As melhores gravatas: *Brioni* e *Hermès* têm as melhores gravatas. E devo dizer, pois estou mencionando repetidamente a marca *Brioni*, que eles gentilmente me fornecem as roupas que uso em *O Aprendiz*.

Os melhores sapatos: eu gosto de várias marcas de sapatos sofisticados. Lembro de quando pensei que alguns bons sapatos eram os melhores até encontrar alguns realmente bons. O preço também era substancialmente maior, mas depois de usá-los, não consigo mais voltar aos outros. Também percebi que eles duram muito mais do que os sapatos mais baratos, o que faz com que o custo real seja menor.

As melhores joias: os melhores joalheiros são *Graff*, *Harry Winston*, *Asprey*, *Tiffany* e *Fred Leighton*. *Asprey* existe desde o século 18, e suas joias têm a capacidade de tornar a mulher mais bonita ainda mais bela. Além de joias, *Asprey* também é famosa por seus objetos em prata, couro, porcelana e cristal. A principal loja da *Asprey* fica na *Trump Tower*, então posso entrar ali sempre que quiser, geralmente para comprar algo para Melania. Você pode encontrar presentes para qualquer pessoa ali e os vendedores são excelentes. *Winston* e *Graff* têm, acredito, os melhores diamantes do mundo.

O melhor equipamento de golfe: se você é iniciante no jogo, não precisa investir muito dinheiro para comprar um conjunto de tacos. Cary Stephan, o *expert* em golfe do *Trump National Golf Club*, diz que apenas bons jogadores de golfe sabem a diferença entre os melhores e os piores equipamentos. É importante comprar um conjunto de tacos adequados para a sua estrutura e seu peso. Os jogadores mais experientes precisam de tacos diferentes dos mais jovens, os homens usam tacos diferentes das mulheres e assim por diante. Se você é um bom jogador, busque equipamentos mais modernos. Esteja munido de todas as vantagens possíveis. Os novos equipamentos são muito superiores aos mais antigos. Sempre gostei dos equipamentos da *Callaway*, enquanto Lee Rinker, dirigente do *Trump International Golf Club* em Palm Beach, prefere a marca *TaylorMade*. Bons jogadores podem usar equipamentos feitos com ferro forjado, mas os leigos devem usar tacos com o peso do ferro distribuído pelo perímetro. Além disso, verifique se a flexão do eixo é a mais adequada à sua velocidade de giro. As bolas mais novas, principalmente as fabricadas pela *Titleist* e *Callaway*, também são fantásticas. Essas bolas percorrem uma longa distância quando atingidas na tee,[3] mas também são muito boas em lançamentos mais curtos. É como ter duas bolas pelo preço de uma.

Os melhores móveis: os melhores móveis não têm uma marca específica. Existem inúmeras opções de móveis, mas percebi que as marcas conhecidas não significam necessariamente qualidade e bom gosto. Geralmente, não gosto de todas as peças de um *designer*, e às vezes, encontro uma peça incrível em uma coleção que normalmente não me atrairia. É por isso que levo tanto tempo para decidir sobre certas peças. Um item mal escolhido pode arruinar a decoração de uma sala inteira. O mobiliário é tão importante quanto a iluminação em uma sala, sobre a qual sou igualmente exigente.

Admiro muito o *designer* Mies van der Rohe, mas não gosto de me sentar em suas cadeiras. Os móveis devem ser elegantes, mas também precisam ser confortáveis. Qualquer fabricante que consiga fornecer móveis com essa combinação, será o escolhido.

As melhores antiguidades: estas peças vêm de antiquários sofisticados. Colecionar antiguidades é como colecionar arte e eu sempre procuro o vendedor mais renomado do mercado. Às vezes, há uma linha tênue entre peças que podem ser bonitas, mas que são uma porcaria, e uma antiguidade verdadeira. Um bom revendedor pode poupar tempo e livrá-lo de golpes.

---

3   *Tee* é o nome do suporte onde a bola de golfe repousa até ter atingida pelo taco do jogador. (N.P.)

O melhor cartão de crédito: os melhores cartões de crédito são *Visa* e *American Express*. Eu até fiz um comercial para a *Visa* e a *American Express* é um dos meus melhores inquilino na Wall Street 40.

O melhor shampoo: O melhor shampoo é o *Head & Shoulders*.

O melhor livro: tenho dois: *A arte da negociação* e *Como ficar rico*, ambos de minha autoria.

O melhor filme: meu filme favorito de todos os tempos é Cidadão Kane.

O melhor álbum: existe muita música boa por aí. Para mim, devo dizer que é uma batalha entre Frank Sinatra, Tony Bennett e Elton John. Eu nunca me canso de ouvi-los e provavelmente nunca me cansarei. O cantor favorito de Frank Sinatra era Tony Bennett, então os dois estão em pé de igualdade. Qualquer álbum de qualquer um deles é fantástico. Além disso, Tony mora em um dos meus prédios.

Na *Trump Tower*, tocamos uma variedade grande de músicas – desde interpretações de *Moon River* até versões dos famosos concertos para piano de Rachmaninoff. Algumas pessoas acham que isso é brega, mas outras adoram e eu também gosto muito. Se você gosta de um certo tipo de música, não deixe que o gosto de outras pessoas influencie o seu. Qualquer coisa que considere o melhor segundo o seu gosto, é o melhor. Nunca se esqueça disso. E, a propósito, eu também adoro o Eminem.

O melhor show da Broadway: Meu espetáculo favorito da Broadway é Evita, de Andrew Lloyd Webber, estrelado por Patti Lupone. Eu o assisti seis vezes, principalmente com Ivana. Atualmente, Evita não está em cartaz na Broadway, mas espero que eles façam uma reedição. O Fantasma da Ópera também foi incrível!

A melhores obas de arte: O melhor quadro é a pintura de uma casa feita com os dedos pela minha filha Tiffany. Nada se compara a isso.

O melhor sorvete: Cherry Vanilla da *Häagen-Dazs* é de longe o meu sabor favorito, e eu já experimentei muitos sabores, pois sou fã de sorvete desde sempre. Quando abrir minha própria sorveteria na *Trump Tower*, talvez daremos uma chance à *Häagen-Dazs*.

O melhor hambúrguer: Eu tenho duas respostas para essa pergunta. Gosto dos hambúrgueres do *McDonald's* e do *DT Burger*, servidos no *Trump Grill*, na Trump Tower. O *DT Burger* é definitivamente mais luxuoso, mas sou um cliente fiel do McDonald's e até fiz um comercial importante para eles.

LUGARES

Os bilionários costumam viajar bastante. E você também deve fazer o mesmo. Não existe desculpa para ficar em casa; o mundo é incrível demais para não ser aproveitado. Eu gostaria de poder viajar mais, mas estou me divertindo muito em casa. Quando você decidir viajar, sempre escolha lugares nos quais encontrar a palavra "elite". É uma ótima palavra. E também é um ótimo lugar para se estar. Se você quer pensar como um bilionário, a elite nunca deve ser um destino inalcançável. Mas não confunda "elite" com "caro". Elite é muito mais um estado de espírito e tem a ver com curiosidade, experiência e desejos. Mesmo que você ainda não tenha muito dinheiro, por que não se preparar para isso?

COMO VIAJAR COM ESTILO, MESMO QUE VOCÊ NÃO TENHA UM AVIÃO PRÓPRIO

Você não precisa de um avião próprio ou de um iate para viajar com estilo. Viajar com estilo geralmente requer dinheiro – muito dinheiro. Mas, além do dinheiro, viajar com estilo requer um certo *mindset* – uma mentalidade que pode ser desenvolvida sem custo algum.

O primeiro truque é ir a lugares onde você estará confortável. Não dá para viajar com estilo se você está correndo risco de vida, a temperatura é insuportável ou não puder comer nada, porque tudo ali irá fazer você passar mal. Não viaje para lugares ruins só porque conseguiu um bom preço. Um dia no sul da França será muito mais relaxante e recompensador do que um verão inteiro em algum inferninho por aí. Seja inteligente ao fazer seus planos de viagem. Não há problema em procurar uma boa oportunidade, mas às vezes é preciso gastar dinheiro para se divertir. Não fazer isso é um desperdício de dinheiro e pode ser perigoso.

Tenho o hábito de viajar apenas para lugares com água corrente e boas acomodações. Não tenho uma predileção para atividades ao ar livre, ao contrário dos meus dois filhos. Nunca senti vontade de escalar montanhas ou descer pelas corredeiras de um rio. Por que tentar escalar o Monte Everest quando você pode vê-lo perfeitamente na televisão ou em um livro? Eu sempre digo: "Não desafie a natureza, porque, no fim das contas, a natureza sempre vencerá". Você estará muito melhor em um hotel.

Portanto, embora eu não seja especialista em viagens *off-road*, sei do que estou falando quando se trata de hotéis e *resorts*. Aqui estão algumas dicas para quando viajar – e quando desejar viajar como eu:

1. **Nunca despache a bagagem.** Essa é uma regra fundamental. Bagagem despachada é bagagem perdida. Se tiver uma reunião importante, não terá tempo para comprar roupas novas.

2. **Hospede-se em um bom hotel.** A percepção das pessoas sobre você é influenciada pelo tipo de hotel que está hospedado. Se estiver tentando vender a si mesmo ou à sua empresa, ninguém o verá como um bom negociador se estiver hospedado em um hotel de quinta.

3. **Certifique-se de que seus ternos estejam bem passados.** Isso deve ser uma das primeiras coisas a serem feitas depois de chegar ao hotel. A maioria dos hotéis oferece esse serviço gratuitamente, por isso não há desculpa para sair

por aí com o terno amassado como se tivesse ficado no fundo da mala por dias.

4. **Leve roupas de golfe.** Você nunca sabe quando será chamado para uma partida de golfe. Você pode alugar o equipamento, mas é mais difícil encontrar roupas e sapatos adequados.

5. **Providencie o transporte do aeroporto para o hotel antes da decolagem do avião.** Você pode perder muito tempo e dinheiro preso no aeroporto com um táxi surrado como única opção. Planeje com antecedência.

6. **Peça ao seu assistente que ligue para o hotel com antecedência para informar ao gerente sobre a sua chegada.** Bons gerentes em bons hotéis sabem dos itinerários de cada hóspede e, se forem alertados sobre a chegada, você poderá obter um atendimento melhor.

COMO SER TRATADO COMO REALEZA EM UM HOTEL

A melhor maneira para ser tratado como um rei em um hotel é dando gorjetas. Dê gorjeta ao funcionário que traz sua bagagem, dê gorjeta ao *Concierge* quando fizer a reserva no restaurante e dê gorjeta aos garçons quando trouxerem o serviço de quarto. Se der boas gorjetas, os funcionários do hotel irão cuidar muito bem de você. Quando precisar de uma reserva no melhor restaurante para impressionar um cliente ou quando precisar de um carro sem demora, os funcionários do hotel farão de tudo para atendê-lo se souberem que você será generoso com eles.

A melhor maneira de avaliar um hotel é pela limpeza. Isto é muito importante! Se você entrar em um quarto de hotel e ele estiver sujo, saia dali. Correndo, de preferência. Os quartos de um hotel devem estar impecáveis. Se você seguiu meu conselho e optou por um hotel de primeira linha, está pagando um preço alto pelo que deveria ser o melhor serviço, por isso não tolere bagunça ou sujeira.

Pessoas acostumadas a hotéis sabem como solicitar um *upgrade* e negociar tarifas. Você pode conseguir uma coisa ou outra e não há vergonha nisso; só há vergonha em não tentar. Se você se hospedar durante várias noites ou no final de semana, as chances de conseguir um *upgrade* ou uma redução de tarifa são ainda maiores.

Se você entrar no quarto e detestar o que viu, reclame. Não seja tímido! Peça para falar com o gerente (não reclame diretamente ao mensageiro) e garanto que ele fará o possível para ajudá-lo. Você pode conseguir outro quarto ou um *upgrade*. Se o hotel estiver lotado, você poderá conseguir uma redução no preço. Muitas pessoas são tímidas demais para reclamar. Nem você nem os funcionários do hotel querem que a sua estadia seja desconfortável.

E, finalmente, espere que a equipe do hotel seja agradável, sorridente e hospitaleira. Você pode estar mal-humorado e cansado, especialmente se tiver com os olhos vermelhos depois de um voo longo ou de uma reunião. Mas a equipe do hotel deve ser a mais hospitaleira e educada possível. Caso contrário, você está no hotel errado.

COMO OBTER O MELHOR ATENDIMENTO EM UM RESTAURANTE

Conheça o proprietário do restaurante, o *maitre*, os garçons e qualquer outra pessoa associada ao restaurante. Algumas das minhas pessoas favoritas em Nova York são donos de restaurantes: Jean-Georges Vongerichten, que é o gênio por trás de *Jean Georges* no *Trump International Hotel*; Sirio Maccioni, do *Le Cirque*; e Giuseppe Cipriani. Sei o quanto eles são exigentes em relação à qualidade e inovação. São mestres nas artes da culinária e da hospitalidade. Existem poucas pessoas no mundo com tamanho talento. E eles nunca deixam um cliente desapontado. Há muitos empresários tradicionais em Nova York que poderiam aprender muito sobre negócios observando Sirio, Jean-Georges e Giuseppe.

Se você não puder pagar pelos melhores restaurantes, o mesmo conselho funcionará em qualquer lugar. Estou construindo um campo de golfe em Bedminster, Nova Jersey, e sempre que estou por lá, tento visitar a *Bedminster Pizza*. O local fica a cerca de três minutos do clube de golfe e tem a melhor pizza que já comi. Alguns dos funcionários de lá, mal falam inglês, mas me tratam como um rei. Um bom atendimento está disponível em todos os níveis de estabelecimentos. Você só precisa saber como encontrá-lo.

Outro truque é tratar os garçons e os proprietários do restaurante como você trataria o anfitrião de um jantar ou de uma festa. Lembre-se sempre de que, embora possa estar pagando pela refeição, você ainda é um convidado no restaurante. Se você agir como convidado, será tratado como um – às vezes um como convidado de honra.

Como melhorar no golfe

Se você costuma jogar bastante, seu jogo irá melhorar com o tempo. Cary Stephan, jogador profissional no *Trump National Golf Club*, em Briarcliff Manor, Nova York, acredita que bons jogadores precisam dedicar duas a três horas por semana à prática – seja no campo, ou jogando rodadas, ou no campo de treino. Golfistas sérios que desejam melhorar seu desempenho também devem dedicar uma hora por semana a aulas com instrutores. O golfe, assim como tudo na vida, exige dedicação.

O resto é puro talento. Recentemente, joguei golfe com Anna Sorenstam, a campeã sueca de golfe, no *Trump National Golf Club*, em Briarcliff Manor. Por mais que tente ser justo com o sexo frágil, ainda não gosto de perder para uma mulher. Depois de jogar com Annika, preciso dizer que estou feliz por estar no ramo imobiliário. No entanto, perguntei como ela faz para jogar tão bem. Sua resposta me lembrou a de Babe Ruth: "Eu apenas jogo." Basicamente, ela trabalha duro, mas tem muito talento.

Recentemente, me perguntaram se considero o golfe como um negócio ou como um prazer. Respondi que acho mais prazeroso construir belos campos de golfe do que propriamente praticar esse esporte. Existe algo muito recompensador em dar vida a um campo de golfe. Na verdade, tenho me sentido culpado agora quando estou jogando golfe no *Winged Foot*, que é um ótimo campo. Já que quando estou lá é apenas por prazer e não por negócios. Nos meus próprios campos, posso jogar e trabalhar ao mesmo tempo, pois fico observando possíveis problemas ou melhorias a serem feitas. Dessa forma, estou fazendo as duas coisas ao mesmo tempo.

COMO ENCONTRAR ÓTIMOS RESORTS PARA FÉRIAS

Para acertar na escolha de um *resort* de férias, pergunte às pessoas sobre quais foram os seus destinos escolhidos e procure um relato em primeira pessoa. Joe Cinque viaja constantemente e sempre me dá uma opinião honesta sobre quais são os melhores destinos. Se ele elogia um lugar, eu adiciono o nome do local à minha lista mental de destinos futuros. Às vezes, folheio artigos e fotografias de revistas, especialmente uma publicação bonita como a *Elite Traveler*. Sei que Douglas Gollan, presidente e editor-chefe da revista, faz grande parte das pesquisas pessoalmente. Seus gostos são sofisticados e exigentes. Eu conversei com Doug recentemente no *Beverly Hills Hotel* e seus destinos seguintes incluíam Dubai, América do Sul, Genebra, Paris e outras cidades europeias. Ele está sempre a par dos destinos mais exclusivos e fornece essas informações em sua revista.

Mas tenho a sorte de não precisar viajar muito para encontrar um dos lugares mais bonitos do mundo, que é o Clube Mar-a-Lago, em Palm Beach, na Flórida. Mar-a-Lago é o local preferido de Melania, e ela passou anos visitando o sul da França, Portofino, Lago Como, e outros lugares bonitos da Europa. Ela prefere Mar-a-Lago a todos esses lugares, e eu também.

ETIQUETA

Como dar gorjetas

A menos que o atendimento tenha sido um desastre, dar gorjeta é obrigatório. Você deve sempre dar uma gorjeta de pelo menos quinze por cento aos garçons, ou até vinte por cento. Sempre faço questão de dar gorjeta ao *maitre* ou ao sommelier, se for o caso. Se costuma ir com frequência a um restaurante e não está sendo generoso na gorjeta, será cada vez menos bem-vindo e receberá um serviço de má qualidade.

Em outras situações da vida cotidiana, a gorjeta pode confundir as pessoas, mas eu sempre digo: "Mais é mais". Sei que sou um defensor da prática de economizar até nos centavos, mas você deve pensar nos trabalhadores de serviços como colegas nos negócios da vida. Os empregos na área de serviços não são nada fáceis e os prestadores de serviços são algumas das pessoas mais tolerantes, profissionais e educadas do mercado. Aprenda com eles.

Você deve dar pelo menos alguns dólares (e, em alguns casos, muito mais) a manobristas, mensageiros, recepcionistas, porteiros, *concierge* e empregadas domésticas. Se alguém se esforçar por você ou facilitar sua vida de alguma maneira, dê uma gorjeta muito maior. Acredito que não dar gorjetas adequadamente é um sinal claro de que aquela pessoa é um perdedor.

Como frequentar uma festa

Lembro-me de quando não costumava ser convidado a tantas festas quanto hoje. Hoje estou sobrecarregado com tantos convites. Sou convidado a muitos eventos – às vezes cinco ou seis eventos por noite –, mas acabo não indo a muitos deles.

Quando era mais jovem e menos conhecido, evitava ir em festas onde poderiam pensar que eu havia entrado de penetra com algum convidado. Não é uma boa ideia ir em uma festa onde você não é bem-vindo e, se for convidado para algum lugar, não apareça cedo demais e não saia tarde demais. Sempre fico espantado quando vejo uma festa quase vazia com três ou quatro foliões distraídos, que se recusam a ir embora. Além disso, beber demais ou se comportar de maneira inadequada é a passagem expressa para se tornar *persona non grata*.

Se você quiser falar sobre algo em uma festa, certifique-se de que sabe o que está falando. Recentemente, fui a uma festa na qual fui obrigado a ouvir uma mulher que deixou claro que não sabia nada sobre iates, enquanto tentava mostrar que sabia tudo sobre o assunto. Infelizmente para ela, muitos dos que estavam ali possuíam iates, inclusive eu. Fomos educados e deixamos passar, mas todos nós percebemos que essa sabichona estava tentando impressionar as pessoas erradas. Se ela realmente entendesse do assunto, saberia que o segundo melhor dia na vida de um homem é o dia em que ele compra um iate, mas o melhor dia da vida de um homem é o dia que consegue vendê-lo.

Como começar e terminar uma conversa

Quem está interessado é interessante. Se mantiver em mente essa regra simples, você não deve não ter problema algum em iniciar uma conversação. Eu sou uma pessoa sociável por natureza, mas uma dica simples para aqueles que são mais introvertidos é ser curioso. Faça perguntas que farão a outra pessoa falar. Afinal, a maioria das pessoas gosta de falar; portanto, se você é tímido, deixe esse trabalho para a outra parte.

A maioria das pessoas pode ser fascinante se você lhes fizer as perguntas certas, e as conversas descontraídas podem ser grandes fontes de aprendizado. Raramente passo um dia sem ter tido de cinco a dez conversas que mudam a maneira como vejo o mundo.

Você pode encerrar uma conversação rapidamente se não se importar em ser grosseiro. Outras maneiras de fazer isso são parar de falar, afastar-se um pouco, fingir que viu alguém que você conhece do outro lado da sala ou apenas dizer: "Aproveite a noite. Foi bom conversar com você." Por telefone é mais fácil porque você pode simplesmente desligar.

Eu costumo gostar das conversas que participo, principalmente com empreiteiros e, como geralmente tenho que falar com muitas pessoas, a maior parte delas é atenciosa e não costuma incomodar. Pessoas sensíveis entenderão o recado e, se não entenderem, eu apenas digo que preciso sair. Ninguém gosta de ser grosseiro, mas de vez em quando você precisa ser; caso contrário, passará a vida inteira preso em conversas fúteis que não levam a lugar nenhum.

Como dar bons presentes

Jamais escolha algo genérico. É um desperdício de dinheiro e o gesto será rapidamente esquecido. Quando quiser presentear alguém, deve fazê-lo com cuidado e de maneira apropriada. O presente precisa refletir os interesses do destinatário ou seu relacionamento com a pessoa. Dar presentes leva tempo e um planejamento cuidadoso. Não deixe para comprar o presente quando estiver a caminho de encontrar a pessoa. Se você não leva jeito para compras, peça ajuda de um assistente pessoal de confiança ou a um amigo – especialmente quando estiver comprando algo para o sexo oposto.

Acompanho os catálogos da *Bergdorf Goodman*, *Tiffany*, *Louis Vuitton* e outras lojas de luxo, assim fico a par das novidades e do que há por aí. Ocasionalmente, quando estou andando em algum lugar e vejo algo que chama a minha atenção, pergunto o preço e faço a compra ali mesmo.

Como corrigir alguém

Sou nova-iorquino, então vou dizer como é. Seja franco e direto com as pessoas, e elas retribuirão da mesma forma. Mas, às vezes, em situações sociais mais delicadas, é preciso medir as palavras.

Nos negócios e na vida, ouvi pessoas dizerem coisas tão absurdamente incorretas que simplesmente não acho que valha a pena gastar energia tentando argumentar. Às vezes, é mais fácil dizer apenas: "É melhor você checar essa informação, eu ouvi dizer outra coisa".

Se puder evitar uma briga, faça isso, pois a maioria das discussões não valem o tempo e a energia perdidos. Eu já tenho que corrigir muitas coisas todos os dias no meu trabalho, e fazer isso em encontros sociais é muito desagradável. Prefiro ir embora e deixar que outras pessoas joguem o tempo delas no lixo. Eventualmente, essas pessoas cairão em si – assim espero.

Como criticar alguém

Se possível, evite fazer críticas a alguém. Os elogios são muito mais eficientes e, às vezes, o silêncio é a melhor forma de crítica que existe. Conheço pessoas que disseram coisas ruins a meu respeito e que não são capazes de aceitar críticas. A maioria das pessoas são como ruas de mão única, então é melhor não perder seu tempo tentando se desviar. Se ficar calado, as pessoas acabarão passando vergonha sem precisar de sua ajuda. É a maneira mais fácil de se vingar.

Como dizer não

Aprender a dizer não é algo crucial para pensar como um bilionário. Somos expostos a uma enxurrada de solicitações todos os dias – por tempo, dinheiro e favores. Precisamos aprender a dizer não na maioria das vezes, e algumas vezes, à algumas causas dignas e ótimas oportunidades.

Quando se trata de dizer não a um acordo comercial, aprendi uma lição valiosa de um dos meus advogados: simplifique as informações apresentadas a você. Os advogados são mestres na arte de simplificar informações complexas e esta é uma habilidade que vale a pena cultivar. Ao ler os termos de um acordo ou contrato, traduza o que está sendo dito para uma linguagem mais simples usando a frase "em outras palavras..." e então parafraseie o resto.

Você começará a perceber como a linguagem pode ser usada para complicar as coisas. Se conseguir traduzir o que é dito em termos mais simples, você será capaz de distinguir as gratificações e as exigências de determinada negociação. Depois que tiver os prós e os contras do negócio na sua cabeça, dizer não (se necessário) será muito mais fácil.

Francamente – e esse conselho pode parecer estranho – aceite quando as pessoas não forem legais com você. Gosto quando as pessoas não são legais, porque desse modo são mais fáceis de serem controladas. É muito mais difícil ser durão com alguém legal. Se a pessoa é intragável, dizer "não" é moleza.

PARTE 4

FACETAS DA VIDA DE UM BILIONÁRIO

Eu poderia continuar dando conselhos sobre como pensar como um bilionário, mas sempre achei que a melhor maneira de ensinar alguém fosse por meio de exemplos. A seguir, você verá alguns excelentes exemplos da mente de um bilionário em ação.

UNIVERSIDADE COLUMBIA

Em 2004, escrevi uma carta crítica a Lee Bollinger, presidente da Universidade de Columbia e ex-presidente da Universidade de Michigan. Como um empresário do setor imobiliário comprometido com a cidade de Nova York, sinto que é minha responsabilidade cuidar de algumas das instituições culturais da cidade, e a Universidade Columbia é um dos maiores tesouros da cidade de Nova York. Parte da missão de Bollinger é expandir o tamanho da universidade – não apenas o número de vagas disponíveis, mas também o campus – e eu estou totalmente de acordo com essa iniciativa.

Mas chegou aos ouvidos da comunidade imobiliária que Bollinger estava interessado em comprar terras no Harlem, um bairro vizinho à Universidade. Para minha surpresa, fui informado que Bollinger naquela época controlava aproximadamente quarenta por cento dos dezessete acres que estava tentando comprar. Aprenda uma lição com o erro de Bollinger: nunca fale a respeito das suas intenções de comprar algo, principalmente imóveis, antes de ter fechado o negócio. Você vai acabar pagando muito mais do que o preço inicial. Bollinger terá que pagar um valor muito maior pelos sessenta por cento restantes da propriedade, porque os proprietários agora sabem o quanto ele deseja aquele imóvel. Isso é simplesmente um mau negócio e, se eu estivesse no conselho de administração de Columbia, diria a Bollinger: "Você está demitido!"

Não apenas estamos diante do exemplo de uma estratégia comercial ruim, mas Bollinger também está comprando no local errado. Al

Lerner, um amigo meu que, infelizmente, faleceu de câncer, esteve no conselho de Columbia por algum tempo e tinha uma visão fantástica. Ele acreditava que Columbia deveria ter ocupado quinze acres magníficos de terra legalizada das ruas 59 a 62, em frente à West End Avenue e ao rio Hudson. Isso teria trazido parte do campus de Columbia para o coração de Manhattan e tornado o campus mais acessível aos nova-iorquinos. Como está agora, Columbia está em uma péssima localização e, graças a Bollinger, permanecerá assim para sempre. A Universidade Columbia merece a melhor localização, não a pior. A propósito, sou o proprietário da terra que a Columbia deveria estar comprando.

A BAGUNÇA DAS NAÇÕES UNIDAS

Apenas um incompetente poderia criar e continuar com a bagunça, ou devo dizer, várias bagunças, nas Nações Unidas. Kofi Annan, secretário-geral das Nações Unidas, causou a destruição de uma das instituições mais respeitadas do mundo. Deixe-me dar uma ideia do que está acontecendo na ONU. Não faz muito tempo, tive uma reunião com um alto funcionário das Nações Unidas sobre a possível renovação e restauração do complexo da ONU na cidade de Nova York. Depois de estudar os detalhes do projeto de reforma e a condição de que não houvesse realocação de funcionários durante a reconstrução, percebi que poderia realizar exatamente o que as Nações Unidas queriam em dois anos e ao custo de 400 milhões de dólares. Originalmente, eles haviam me abordado, porque não podiam acreditar que eu havia construído a *Trump World Tower* na Praça das Nações Unidas por apenas 300 milhões. Mas é verdade. Se você sabe o que está fazendo, pode executar o projeto pelo preço justo e da maneira correta.

Então, sem receber uma resposta das Nações Unidas, li que haviam contratado alguém para fazer exatamente o que haviam me pedido. Essa outra empresa renovaria e reformaria o complexo das Nações Unidas, mas exigia um período de sete anos para a conclusão da obra, ao custo de 1,5 bilhão de dólares.

Não é preciso ser um gênio para reconhecer a enorme diferença entre as duas propostas – vários anos e 1,5 bilhão de dólares, ou seja, 1,1 bilhão a mais do que pedi em um trabalho que não seria tão bom quanto o meu. Isso me faz pensar: quem está no comando das Nações Unidas? Será que são tão incompetentes em assuntos mundiais quanto são em números simples? Alguém mais acha esta situação tão absurda quanto eu?

Embora a premissa fundamental das Nações Unidas seja maravilhosa, talvez esteja na hora de reavaliar sua função. Tudo começou tão bem. O que aconteceu? Com essa imensa omissão na área financeira, talvez precisemos começar a nos preocupar.

A ESTÁTUA DA LIBERDADE

Paris tem a Torre Eiffel, Roma tem o Coliseu e nós temos a Estátua da Liberdade. Para mim, ela é o ícone de Nova York e isso me faz querer vê-la de perto, até mesmo em fotos, e a pensar no que ela simboliza.

Costumo imaginar os barcos cheios de imigrantes chegando ao porto de Nova York com aquela estátua incrível para cumprimentá-los. Ela ainda permanece ali, orgulhosa de si.

Apesar de nossas relações políticas, às vezes tensas, não devemos esquecer que a Estátua da Liberdade foi um presente da França – o país da liberdade, igualdade e fraternidade. Os franceses reconheceram nossa busca, como povo americano, nos dando esse incrível símbolo em reconhecimento do que a América representa. Penso que a recente cisão entre a França e os Estados Unidos é uma tragédia. Teríamos ficado tão mal por eles se a Torre Eiffel ou a *La Defense* tivessem sido destruídos como ficaram por nós quando as Torres Gêmeas caíram em 11 de setembro.

Em uma das cenas de abertura da segunda temporada de *O Aprendiz*, Mark Burnett e sua equipe me levaram à Estátua da Liberdade. Quando nos aproximamos de *Lady Liberty*, foi como se tivesse sido transportado à minha juventude quando me disseram que tinham muita sorte de estar na América, pois tinha oportunidades que outras pessoas no mundo só podiam sonhar. E aqui estou novamente, uma figura importante na maior cidade desse país incrível, e percebo mais uma vez o quão sortudo fui.

Com os pais que tive e esse país como alicerce, tudo era possível. Sempre trabalhei com essa premissa de que tudo era possível e continuo caminhando sendo uma prova viva do sonho americano. Para mim, o sonho americano não é apenas um sonho; é uma realidade.

CAFÉ DA MANHÃ NO WALDORF

Eu gosto de ir ao *Waldorf*, especialmente quando estou recebendo um prêmio. Recentemente, a Sociedade Internacional de Rádio e Televisão organizou um café da manhã em minha homenagem. Os elencos de *Queer Eye for Straight Guy* e *Sex and the City*, o produtor Michael Patrick King, Bob Schieffer, do *Face the Nation*, e Herb Scannell, da *Nickelodeon Networks* estiveram presentes. Jeff Zucker, da *NBC*, também estava lá para anunciar que, enquanto foram necessários cinco homens para salvar *Bravo-TV*, foi necessário apenas um – eu – para salvar a *NBC*. Então Bob Wright, presidente e CEO da *NBC*, subiu ao palco para me apresentar.

Foi uma honra receber o prêmio, porque, como Bob Schiffer mencionou, temos a responsabilidade no setor de televisão e rádio de tentar tornar a mídia mais inteligente. Essa é a nossa missão com *O Aprendiz*, e ser reconhecido por minha contribuição traz uma sensação incrível. À medida que nossa cultura muda, a televisão também precisa mudar, ou acabará perdendo relevância. Além de proporcionar entretenimento, o rádio e a televisão tornaram-se cada vez mais ferramentas poderosas no processo educacional. Em meus programas de rádio e televisão, procuro manter essa ideia sempre em mente.

Então, naquele que foi um dos melhores cafés-da-manhã da minha vida, todos nós concordamos em seguir fazendo um bom trabalho.

DEZ MINUTOS INCRÍVEIS

Recentemente, Steve Wynn ligou e me disse que estava prestes a participar do leilão de uma grande obra de arte, um Vermeer. O leilão estava sendo realizado na *Sotheby's*, em Londres, e Steve me pediu para acompanhar os lances. Foi muito interessante, especialmente para alguém como eu, que nunca fui um grande comprador de arte. Steve ama essa pintura da Vermeer e, geralmente, o que Steve quer, ele consegue.

O lance inicial era de 10 milhões de dólares e rapidamente subiu para 24 milhões, quando Steve entrou na briga. Os outros compradores começaram a desistir e, finalmente, eram apenas Steve e outro concorrente até que Steve acabou arrematando a obra por 30 milhões de dólares. Foram dez minutos realmente incríveis e Steve agora é o proprietário de uma obra que provavelmente nunca mais voltará ao mercado. Estou ansioso para vê-lo!

A REVISTA PEOPLE E O QUE AS PESSOAS FAZEM

Ann Moore, presidente e CEO da *Time, Inc.*, me convidou para falar em uma reunião de gerenciamento da revista *People* – "para compartilhar alguns segredos sobre o seu sucesso como liderança", como ela disse. Costumo cobrar 250 mil dólares para dar palestras, mas como a revista *People* sempre me tratou muito bem, decidi fazer um favor a Ann. Abri a reunião observando que eles haviam me deixado de fora da edição mais recente de "As 50 Pessoas Mais Bonitas", mas, depois dessa queixa, estávamos prontos para um bate-papo proveitoso.

Comecei discutindo o poder da mídia. Quando Jean Georges, o maravilhoso restaurante do *Trump International Hotel and Tower*, abriu pela primeira vez, eu disse ao chef Jean-Georges Vongerichten que havia odiado o projeto de *design* do restaurante, e por isso não sentia vontade de comer lá. Ele disse: "Sr. Trump, quero que as pessoas notem a comida, não a decoração." Pensei que essa foi uma das maiores bobagens que já ouvi na vida e disse isso a ele. Em seguida, o *The New York Times* escreveu uma crítica maravilhosa sobre a comida, dando a nota mais alta ao restaurante e, de repente, passei a achar que a decoração estava não estava ruim. Os elogios e críticas positivas que o jornal concedeu ao restaurante me fizeram mudar completamente de ideia. Isso é poder.

Continuo rechaçando membros da imprensa de vez em quando, mas no geral, gosto deles. Eu sei que o trabalho deles não é fácil. Naquele dia, diante de uma sala cheia de publicitários atentos, mencionei que, embora pudessem ser belas jovens e rapazes distintos, não poderiam me enganar. Eu sei o quanto podem ser cruéis. Eu lido com pessoas perversas todos os dias, mas na maioria das vezes elas também têm uma aparência perversa. Aquelas pessoas pareciam ser bem-educadas, mas disse a elas que sabia de suas intenções. A sala toda riu.

A mídia representa um grande poder. Como alguém que recebeu muita atenção da mídia, sei que seu poder de tornar alguém famoso é inacreditável. Eu sempre fui relativamente bem conhecido, mas nada comparado ao quanto sou famoso atualmente. Até crianças de seis anos de idade vem até mim na rua e gritam "você está demitido!" E homens idosos em seus *Rolls-Royces* em Palm Beach abaixam as janelas para gritar comigo enquanto passam. Eu achava que era famoso antes, mas estava enganado. Agora sou famoso.

Para atender ao desejo de Ann de que essa fosse uma reunião de negócios, passei alguns minutos falando sobre sucesso – e dei alguns conselhos sobre como encontrá-lo. Então, como já suspeitava, descobri que a única coisa que estavam interessados era ouvir sobre *O Aprendiz*. Não me importo de responder a essas perguntas, mas o nível de interesse sempre me surpreende.

No entanto, com essas pessoas, eu também fiz algumas perguntas sobre o show. Do que eles gostaram mais? Devo expandir meu círculo de consultores? Que tarefa pertinente à publicação de revistas eles escolheriam para os candidatos? E assim por diante.

Uma pessoa perguntou qual tinha sido a maior surpresa para mim em relação ao programa. Eu respondi que a maior surpresa foi o sucesso. Noventa e cinco por cento dos novos programas de TV não dão certo. Esse não é o tipo de estatística que me agrada e foi bom não saber disso antes de aceitar a proposta, pois, se soubesse, não teria assinado o contrato.

Enquanto falava sobre *O Aprendiz*, também mencionei que, antes do sucesso do programa, me lembrei que estava com Melania atrás de um cara que também esperava para entrar no evento da *NBC Upfront*, no **Lincoln Center**. Comentei com Melania que ele era um cara muito bonito. Na verdade, era Rob Lowe. Ele também tinha um novo programa estreando na TV, e lembro de pensar que realmente não queria concorrer por audiência com alguém tão bonitão. Eu jamais venceria. Infelizmente, o programa dele não decolou, e o meu, foi um sucesso. Então você nunca sabe o que vai funcionar. Também disse à plateia que em minha opinião, certos tipos de pessoas não deveriam estar em *O Aprendiz*, como Sam e Omarosa, pessoas imprevisíveis – mas isso faz parte do mundo do entretenimento. Se tivéssemos escolhido dezesseis pessoas inteligentes, educadas e produtivas como candidatos, talvez não fosse uma mistura tão interessante. E é essa mistura que Mark Burnett e sua equipe fazem tão bem – eles montam um grupo no qual os denominadores comuns podem ser inteligência e ambição, mas com variedade suficiente para serem divertidos e, talvez, criar alguns atritos ao longo do caminho. Desastres podem ser mais interessantes do que um mar calmo. Um pouco demais na minha opinião, mas são as coisas que aprendemos ao longo do caminho. Se dependesse de mim, escolheria dezesseis supermodelos – e não daria certo.

Encerrei a conversa trazendo o assunto de volta ao mundo dos negócios. Afirmei que quem quer que fosse escolhido como vencedor em *O Aprendiz*, seria escolhido por critérios estritamente de negócios e não de entretenimento. Eu não quero alguém que seja divertido, quero alguém que saiba o que está fazendo. Afinal, minha vida já é suficientemente divertida.

UM ELOGIO À AUDÁCIA

Aceitei fazer um discurso na cidade de Nova York para setecentas pessoas da *Sanofi-Synthelabo, Inc.*, uma empresa farmacêutica, a pedido de Patti Giles. Patti é uma mulher de negócios fantástica. Ela e o grupo *Sanofi* estiveram em Mar-a-Lago para um jantar alguns meses antes, então queria dar-lhes as boas-vindas em minha cidade.

Sei por experiência própria que esse grupo é muito trabalhador – convidei alguns membros da equipe para jogar golfe no *Trump International Golf Club*, em Palm Beach, e todos eles recusaram. Cada um deles recusou o meu convite! No entanto, percebi que essas pessoas tinham prioridades bem definidas. Eles amam seu trabalho, têm responsabilidade pelas posições que ocupam e são completamente focados.

Ao longo do meu discurso, disse a eles que se você não puder sonhar com novos produtos, eles jamais se tornarão realidade. Também destaquei a importância de estabelecer seus próprios padrões. Isso garantirá que se mantenham pioneiros em seu campo de atuação. Eu já sabia o quão disciplinados eles são e por isso estou enfatizando a importância da criatividade, incentivando-os a nadar contra a maré.

Resumindo, falei de coisas que já havia dito antes, mas esses são pontos que vale a pena repetir se você deseja obter um grande sucesso:

1. Pense grande.

2. Mantenha o foco.

3. Seja paranoico (mantenha a guarda).

4. Seja apaixonado.

5. Nunca desista.

6. Ame o que está fazendo.

Para ser um vencedor, você deve pensar como um vencedor. Tente fazer isso. Você ficará surpreso. Em pouco tempo você poderá estar pensando como um bilionário.

CONCURSOS

Como dizem por aí, a *Miss América* é a garota que mora ao lado. A *Miss USA* é a garota que você *gostaria* que morasse ao lado. Para diversificar meus investimentos, entrei em uma parceria de direitos de propriedade e transmissão com a rede *NBC* para as três maiores competições de beleza do mundo: os concursos de *Miss Universo*, *Miss USA* e *Miss Teen USA*.

Poucas pessoas estão cientes do imenso público que esses concursos detêm ao redor do mundo ou de sua importância internacional. Os rendimentos para as economias dos países que hospedam o concurso são imensos e comandá-los é um negócio muito sério e competitivo.

Enquanto milhões de pessoas em todo o mundo assistem à coroação das vencedoras, poucos percebem as implicações da vitória nas vidas de cada uma das jovens misses. As três (*Miss USA*, *Miss Universo* e *Miss Teen USA*) se tornam funcionárias em tempo integral da Organização Miss Universo e imediatamente cancelam qualquer compromisso pessoal e se mudam durante um ano para Nova York. Todos elas se mudam para uma suíte de luxo com três quartos em um dos meus empreendimentos.

Quer você goste ou não dos concursos de beleza, eles servem a um propósito maior e não são apenas a celebração da juventude e beleza femininas. A importância das boas ações está no centro do espetáculo, e essas mulheres estão usando seus dons de uma maneira extraordinária. Nesse sentido, os concursos de beleza são uma excelente lição para todos. Marco de la Cruz, que trabalha como *coach* motivacional em Los Angeles, contou-me como ficou impressionado com as candidatas ao concurso *Miss USA* depois de trabalhar com elas por algumas semanas. Ele disse que o que poderia ser visto como um evento sexista ou narcisista era muito mais do que isso, devido à consciência social demonstrada pelas participantes. Ele sentiu que o concurso era uma forma de empoderamento feminino. Concordo com ele. O que todas elas serão capazes de realizar depois desse concurso é algo impressionante. O concurso já ajuda a *Fundação Make-A-Wish*, de pesquisa sobre o câncer de mama e AIDS, e cada participante dedica grande parte de seu tempo à defesa de uma causa específica. Marco também notou um progressivo aumento na autoconfiança das jovens durante as semanas anteriores ao concurso. No geral, o resultado é muito positivo.

A audiência do concurso *Miss EUA* este ano foram as mais altas em dez anos. O evento ocorreu na bela e glamorosa cidade de Los Angeles e as participantes visitaram a *Universal Studios*, o Píer de Santa Monica, o Queen Mary e Hollywood. O show em si foi realizado no *Kodak Theatre*, a sede do Oscar, e foi apresentado por Billy Bush e Nancy O'Dell, da *Access Hollywood*. A festa de encerramento e as filas para entrar me lembraram o *Studio 54* em seu auge.

Depois que a *Miss USA* é coroada e os créditos rolam na tela, ela imediatamente pega um avião para sua nova residência em um dos empreendimentos *Trump*, com vista para o rio, em Nova York. Lá passará seu reinado em busca de objetivos profissionais e fazendo aparições em nome das instituições de caridade parceiras do evento. Em nenhum outro concurso de beleza do mundo isso acontece. Todas as demais rainhas da beleza ficam em casa até serem chamadas para participar de algum evento. Quando não estão viajando mundo à fora, nossas rainhas passam a semana fazendo trabalhos voluntários durante o dia e comparecendo a eventos luxuosos à noite.

A *Miss USA 2004* se tornou uma palestrante oficial de organizações que promovem assuntos ligados ao câncer de mama e de ovário. Ela ajudará a arrecadar milhões de dólares em nome dessas organizações. Os números são impressionantes, já que a *Miss USA*

2003, Susie Castillo, de 22 anos, ajudou a arrecadar 28 milhões de dólares para a mesma causa. Shandi é uma loira belíssima que está concluindo seu doutorado em aconselhamento, e ela também é uma defensora de crianças com deficiência mental. Shandi esteve na Coreia do Norte com a *USO* para alegrar as tropas militares e viajou para o Oriente Médio no fim do ano.

Quando uma mulher se torna a Miss Universo, o seu mundo vira de cabeça para baixo. Quando Jennifer Hawkins, a *Miss Universo 2004*, deixou a sua casa na Austrália para o concurso em Quito, no Equador, ela podia sair livremente por Sidney sem ser reconhecida. Agora, após ter sua foto estampada na capa de todas as revistas e jornais e tendo participado de vários programas de TV, tornou-se uma celebridade da noite para o dia. Em seu papel na conscientização sobre o HIV, Jennifer foi moderadora na Conferência Internacional sobre AIDS, em Bangkok. Ela passará o ano se encontrando com líderes mundiais, com o foco na discussão de soluções para essa pandemia mundial. Ela também é uma das mulheres mais bonitas que já vi.

Tami Farrell, a jovem de 19 anos coroada *Miss Teen USA 2004*, foi criada em uma fazenda em Phoenix, Oregon. Ela passou o ano defendendo as causas adolescentes de uma organização chamada *DARE!*. Antes de participar do concurso, Tami nunca havia saído de Oregon. Atualmente, já viajou por todo o país e estevem em Londres e Berlim voando na primeira classe.

Quando não estão viajando o mundo, essas três beldades são colegas de quarto, o que pode, muitas vezes, ser mais complicado do que o apartamento de *O Aprendiz*. Bill Rancic não precisou se preocupar com uma tiara de 100 mil dólares perdida.

A DIETA MAR-A-LAGO

Você não pode apenas pensar como um bilionário, precisa se alimentar como um também. Seja com um *chef* de primeira linha preparando as refeições ou simplesmente uma comida caseira, lembre-se disso: você é o que você come.

Gary Gregson, o chef executivo do *Clube Mar-a-Lago* e do *Trump International Golf Course*, está trabalhando comigo há mais de dez anos e é um dos melhores chefes de cozinha do mundo. O trabalho dele é garantir que todos os nossos convidados comam bem durante sua estadia. Os convidados incluem políticos locais e nacionais, personalidades da televisão, estrelas do cinema, músicos e as pessoas mais ricas do mundo. O trabalho de Gary é muito intenso e ele é um mestre na arte da gastronomia.

Gary costumava listar os nomes de todas as pessoas importantes que passaram pelo *Mar-a-Lago Club*, mas a lista ficou longa demais. Há simplesmente gente demais querendo vir a Mar-a-Lago.

O que os faz querer voltar? Gary sempre me diz que o motivo é a comida preparada por ele, e estou tentado a acreditar.

Você pode não acreditar, mas mantenho uma dieta restrita – dieta criada por Gary especialmente para mim. Nós a chamamos de dieta Mar-a-Lago e, se eu não a fizesse de tempos em tempos, minha circunferência abdominal seria um desastre. Preciso admitir que de vez em quando dou uma escorregada e me entrego a um *DT Burguer*, sorvete ou pizza. Mas na maior parte do tempo estou atento ao que como.

O que acha de aderir à dieta Mar-a-Lago? Visitar o Clube é um bom começo, mas você também pode tentar na sua casa.

Gary desenvolveu a Dieta Mar-a-Lago pensando em mim. Ele disse que há muita coisa em comum com outras dietas populares no mercado, mas a Mar-a-Lago é uma dieta mais sustentável e bem mais realista. E ela realmente funciona. Uma ex-Miss Universo havia ganhado alguns quilinhos e, após algumas semanas na dieta Mar-a-Lago, ela está novamente com a silhueta da época do concurso.

Gary acredita que é ridículo pensar que você pode aproveitar a vida sem comer carboidratos e açúcar. Hoje em dia todo mundo está evitando comer pão, massas, arroz e batatas. Logo estarão eliminando frutas e vegetais também. Você precisa satisfazer o seu apetite e se manter equilibrado. É simples assim.

A dieta Mar-a-Lago não é baseada nos alimentos que estão proibidos, mas no que você pode – e deve – comer para se manter magro. Parte da ideia da dieta é satisfazer os seus desejos conforme forem aparecendo, por mais ridículos que possam parecer. O lema de Gary também pode ser: "Quer comer caviar com linguado? Sem problemas! Que tal caviar em seus ovos mexidos? Melhor ainda!".

O café da manhã consiste em uma omelete de claras de ovo com espinafre, tomates e um pouco de queijo feta, um pequeno copo de suco de frutas e uma *mimosa*[4] feita com suco natural de laranja.

O almoço pode ser uma pequena porção de tilápia com vegetais cozidos no vapor e uma salada verde com azeite extra virgem, servida

---

[4] Mimosa é um drinque feito com champanhe e suco de laranja. Leva esse nome pela relação com a planta Mimosa, de tonalidade amarela. (N. P.)

com molho de iogurte, chá gelado com limão e mirtilos frescos para a sobremesa.

O jantar depende de quem acompanhará você. Se está jantando sozinho ou com seu cônjuge, pode reduzir um pouco. Quando estiver jantando com convidados e amigos, você deve se permitir um pouco mais. Uma de minhas refeições favoritas da dieta Mar-a-Lago é o salmão com raspas de limão e com panquecas de cebolinha. Também gosto do gaspacho de tomate amarelo com abóbora e do sorvete de mirtilo, que é algo de outro planeta. Costumo não gostar muito de refeições que incluam salada *Caesar*, bolo de carne, bife ou frango assado, e você deve ajustar a dieta com base em seus próprios gostos.

Com a família e amigos próximos, costuma haver porções maiores e vários pratos. *Foie gras* grelhado com pão de abóbora com especiarias e mirtilos selvagens do Maine, seguido de sopa de manga com pudim de chalota é um dos clássicos de Gary. Ele também serve robalo com crosta de parmesão com batatas, *bok choi* e molho *beurre blanc*. Para terminar a refeição, mesmo se você estiver na dieta Mar-a-Lago, Gary geralmente oferece uma seleção de pequenas sobremesas ou um incrível suflê *Grand Marnier*.

Se você é fã de bebidas alcoólicas (eu não sou), beba uma taça de vinho fino, mas não exagere no álcool. Esse pode ser um hábito calórico e perigoso.

Certa vez, pedi a Gary para calcular os pedidos de comida durante a temporada mais movimentada de Mar-a-Lago. Aparentemente, não é raro o clube comprar 45 quilos de caranguejo de pedra da Flórida, 18 quilos de *foie gras* fresco de qualidade, 12 potes de caviar de alta qualidade (osetra, beluga ou sevruga) e 180 quilos robalo – a cada semana! E, naturalmente, todos estes alimentos fazem parte da dieta Mar-a-Lago.

Para resumir a dieta Mar-a-Lago:

1. Tudo precisa ser servido de forma incrível.

2. Precisa ser visualmente atraente.

3. A comida precisa ter um sabor fantástico.

4. E não pode fazer com que você ganhe peso.

Se comer os melhores alimentos e prestar atenção à sua circunferência abdominal, você logo estará com um visual incrível e sentindo-se muito bem.

SATURDAY NIGHT LIVE

Certa vez, no final do mês de março de 2004, Jeff Zucker, o brilhante presidente da *NBC*, ligou para marcar um horário comigo em meu escritório. Sabia que algo grande estava a caminho, pois ele viria pessoalmente conversar comigo. Ele disse, "eu gostaria de vê-lo." Então, chegou no escritório e disse: "Donald, me faça um favor. Seja o apresentador do *Saturday Night Live*."

Eu tenho muito apreço e respeito por Jeff, e nós tivemos um tremendo sucesso com *O Aprendiz*, de maneira que eu não poderia dizer não.

Gostaria de poder dizer que apareci lá algumas horas antes do show no sábado, 3 de abril, experimentei algumas roupas, aprendi algumas falas e depois apresentei o programa ao vivo com a ajuda da equipe hilária do *Saturday Night Live*. Como em *O Aprendiz*, esse não foi o caso. Isso me tomou alguns dias – alguns dias que valeram a pena.

Saturday Night Live é um programa lendário e ser convidado para ser o anfitrião da noite foi uma grande honra. Levando em contas os 29 anos de história do programa, eu estava prestes a entrar em algo grande e novo para mim: esquetes de comédia, monólogos, uma entrevista cara a cara com um comediante que ganha a vida me imitando e, uma apresentação vestido de galinha. Eles estavam brincando comigo? Sim, e muito bem por sinal.

Veja como o programa foi desenvolvido naquela semana:

Preparação

Na terça-feira, me encontrei com a excelente equipe de dezessete escritores de Lorne Michaels, escritor criador do programa, liderados por Tina Fey. Eles lançaram algumas ideias e fizeram perguntas. Conversamos por cerca de uma hora. Quanta coisa poderia ser feita em uma hora? No final das contas, muita coisa. Na quarta-feira, os escritores já tinham finalizado alguns esboços do show, que foram apresentados a mim. Alguns destes roteiristas estavam no *SNL* há mais de uma década, cinco haviam entrado naquele ano e um naquela semana. O trabalho de um roteirista do *SNL* é difícil. Não há descanso. Lorne Michaels e Marci Klein certamente sabem o que estão fazendo.

Depois que vários esboços foram finalizados, eles os reduziram a aproximadamente doze esquetes considerados viáveis para o show. Esse processo levou cerca de três horas e, então, fiquei livre para voltar ao meu escritório.

Na quinta-feira, lemos os esboços escolhidos e pude interagir com os membros da equipe do *SNL* e pude sentir como o programa seria.

Na sexta-feira, tivemos nosso primeiro dia inteiro, que começou às 13h30 e terminou às 22h30. Ensaiamos os esquetes no palco do *SNL*. Aquele espaço tem muita história. Originalmente era o estúdio de gravação de Toscanini e foi construído com isolamento acústico para evitar o barulho do metrô que passa embaixo do prédio da *NBC*. Possui cerca de 650 metros quadrados de espaço disponível, o que não é muito, considerando o que o programa faz toda semana.

No primeiro quadro, interpretei um *hippie* em uma reunião sobre *marketing* internacional. Depois de três tentativas, percebi que estava com medo de usar a longa peruca loira que eles haviam escolhido para mim. Felizmente, esse quadro foi cortado durante os ensaios. Eu odeio bagunçar meu cabelo por qualquer motivo, mesmo que seja para o *SNL*.

No caminho para o próximo quadro, parei para conversar com Greg Tull, que trabalha no *SNL* como chefe de pauta há 25 anos. Ele também frequentou a Academia Militar de Nova York. Foi ele que me tranquilizou dizendo que eu estava fazendo um ótimo trabalho até ali – um voto de confiança que levei em consideração, pois ele já assistiu inúmeros ensaios ao longo dos anos.

O segundo quadro do programa envolveu o que seria o meu último livro de romance, *Erotic Moonlight Confessions* [Confissões eróticas ao luar; trad. livre]. O protagonista, Ronald Strump, vive na cobertura de um famoso arranha-céu com vista para a cidade. Convencido de que seria um *best-seller*, eu seria o narrador da história. Como acabou acontecendo, esse que era um dos meus esquetes favoritos (curto e fácil) também foi cortado após o ensaio final.

Fizemos uma pequena pausa, então voltei ao meu camarim, recheado com caixas de *pretzel* e batatas fritas, fiz alguns telefonemas e me atualizei sobre como estava o escritório. Jim Dowd, um talentoso funcionário da *NBC*, apareceu para me levar em um *tour* pela sala de controle. Acabei conhecendo Jim enquanto trabalhava em *O Aprendiz* – ele não para. O *Saturday Night Live* é um grande show e todos os profissionais envolvidos são muito bons no que fazem.

De volta ao *set*, Stone Phillips, da *Dateline*, passou para nos fazer uma visita. Ele esteve no meu clube Mar-a-Lago, na Flórida, no fim de semana anterior, cobrindo uma reportagem. Então, Lorne Michaels entrou para dizer "olá". O *set* estava muito movimentado, pelas janelas acima das arquibancadas da plateia, podíamos ver o público da *NBC* nos observando. Eles acenaram e fizeram o gesto de "Você está demitido!" para mim. Exatamente o que eu precisava: um voto de confiança. Felizmente, ainda não tinham visto o suficiente da minha performance para poderem julgar, então apenas acenei de volta.

Depois, tive alguns ensaios, um com Finesse Mitchell em um esquete sobre um advogado e seu cliente que incluía os *Harlem Globetrotters* e outro com Darrell Hammond, o imitador brilhante que consegue parodiar com perfeição praticamente qualquer pessoa, desde Bill Clinton, Regis Philbin e até a mim. O quadro tinha o nome de O Príncipe e o Pobre e exigia uma troca de figurino no meio da cena que os roteiristas ainda estavam tentando acertar.

Nesse momento, já eram 18 horas e saímos para o intervalo do jantar. Jeff Richmond entrou com um teclado para revisar algumas letras para a cena da Banda da Sala de Reuniões. Foram necessários apenas cinco minutos. Andrew, um assistente muito prestativo, trouxe um bife do Palm para mim. O jantar chegou com talheres de plástico. Fiz um estardalhaço a respeito, mas Andrew correu até o escritório de Lorne para encontrar alguns talheres para mim. Liguei a televisão e encontrei uma partida de golfe para assistir, e relaxei por um tempo. Um pouco mais tarde, assinei uma nota de dólar para o sorteio de sexta-feira, uma tradição do *SNL*. Esse sorteio é um grande evento, anunciado com entusiasmo no *set*, e a equipe tentou me pregar uma peça anunciando meu nome como vencedor. No entanto, eu já tinha ouvido alguns comentários por lá. Por fim, ficamos sabendo que Lonnie, que cuida dos figurinos, foi o vencedor.

Então, voltei ao cenário da Banda da Sala de Reuniões, a cena mais complicada para mim, pois eu teria que tocar teclado, cantar e lembrar de algumas falas e letras complexas. Onde estava Billy Joel quando precisei dele?

Fizemos o número Asas de Frango (envolvendo a *Trump's House of Wings*), que parecia popular desde o início. Eu não parava de pensar: "Como é que vim parar aqui?" Eu já tinha rejeitado a fantasia de galinha, mas vi um terno amarelo de aparência estranha pelo *set*, o que me deixou preocupado.

Fizemos um intervalo e Lorne veio me visitar. Carlyn Kepcher chegou para fazer a sua cena. Ela ficou aliviada ao saber que suas falas eram curtas. Os *scripts* também não são o seu forte.

Voltei para praticar o monólogo de abertura. O monólogo seria a parte mais difícil do show. Eu iria entrar no palco, falar com milhões de pessoas e deveria ser engraçado. Perguntei aos construtores de cenários: "Como fui entrar nisso? Eu deveria estar construindo alguma coisa, como vocês. Eu me identifico com vocês." Nós praticamos o monólogo algumas vezes, com Darrell como meu "substituto" e com Jimmy Fallon interpretando Jeff Zucker. Demos boas risadas e depois decidimos parar por aí. Já eram 11 horas da noite.

O SHOW AO VIVO

Tínhamos um ensaio às 13h e cheguei lá pontualmente. No sábado teríamos um ensaio com os cenários prontos e um ensaio geral. Fizemos algumas mudanças à medida que avançávamos, e então tive que ficar muito atento durante o dia todo.

Como era de se esperar, aquele terno amarelo pastel apareceu no meu camarim. Eu experimentei o terno e me fiz algumas perguntas – especificamente: "Que diabos estou fazendo aqui?" Chris Kelly, gerente de palco, me ofereceu como *souvenir* o letreiro néon das Asas de Frango, para que o pusesse em meu escritório na *Trump Tower*. Minha memória já seria o bastante, mas foi um gesto atencioso da parte dele.

Percorremos o programa, que incluía três encontros com Star Jones do programa de TV *The View*. Star foi interpretado por Kenan Thompson. Também visitei o *set* do programa *Live* com Regis e Kelly, interpretados por Darrell Hammond e Amy Poehler. Eu gostei de todos os quadros que fizemos, mas percebi que apenas alguns seriam apresentados no programa ao vivo.

O *Saturday Night Live* é concebido em um conceito teatral: se o programa funcionar para o público de trezentas pessoas presentes, funcionará em TV nacional. O público do ensaio geral é o grupo de foco do show ao vivo. Os esquetes que tiverem a melhor resposta do público permanecem no show ao vivo; os outros são cortados. O ensaio geral foi de 20h às 22h, e o show ao vivo começou às 23h30. Apenas após o ensaio, saberíamos o conteúdo e a ordem de execução do show ao vivo.

Fizemos uma pausa para o jantar e decidi visitar a cantina da *NBC*. Um local extraordinário, com todos os tipos de entradas e saladas e sete ou oito opções de sobremesas e pudins. Peguei um delicioso frango com purê de batatas que levei de volta ao meu camarim. Matthew Calamari veio me visitar e acabamos jantando juntos. George Ross e Carolyn Kepcher chegaram para o ensaio geral e também me fizeram uma rápida visita.

Steve Higgins, da equipe do *Saturday Night Live*, apareceu para revisar algumas questões de escrita, pois os esquetes ainda estavam sendo finalizados. Ouvi a banda convidada, *Toots and the Maytals*, praticando no *set*. O som deles estava incrível, e fui lá para ouvi-los por um tempo. Minha filha Ivanka havia me dito o quanto eles são ótimos e ela estava certa. A música me relaxou e, surpreendentemente, eu não estava nem um pouco nervoso.

Naquele momento, a incrível Sharon Sinclair, uma maquiadora, começou a me preparar para o ensaio geral e, às 20h, o programa havia começado diante de uma plateia ao vivo. Eu tinha alguns amigos e colegas presentes, então sabia que poderia contar com algumas risadas gratuitas. Meia hora do programa deveria ser cortada e eu estava curioso para ver o que iria ser cancelado e o que iria ao ar.

Infelizmente, alguns dos meus esquetes favoritos foram cortados: a impressionante performance de Finesse Mitchell, a versão em áudio do meu novo romance e alguns embates com Star Jones, mas, apesar de tudo, ainda foi um ótimo programa.

Melania, Don Jr., Ivanka, Eric, John Myers, John Mack e alguns de meus melhores amigos haviam chegado e a presença deles foi muito reconfortante, considerando o que eu estava prestes a fazer. Então a música começou e era hora do show – desta vez, ao vivo, diante do mundo todo.

O show ao vivo durou uma hora e meia, um turbilhão total. Havia pequenas áreas de vestir portáteis montadas no *set* para trocas de roupa rápidas, e uma experiente equipe de profissionais, liderados por Donna Richards, garantindo que eu estivesse pronto para cada cena. Será que algum dia imaginei que seria a estrela de um programa de televisão de sucesso? Não. Algum vez imaginei que poderia ser anfitrião do *SNL*? Nem em um milhão de anos.

Depois do show, assinei algumas fotos para a equipe, incluindo uma que ficará pendurada nos sagrados salões do *Saturday Night Live* por todo o tempo. Uma noite a se recordar. Lorne Michaels e

Jeff Zucker pareciam satisfeitos com o show e agradeci a eles por essa experiência maravilhosa.

Todos nós partimos para uma festa de comemoração. Só para deixar registrado — e isso pode ser um recorde — cheguei em casa às seis da manhã do domingo. Bem a tempo de me levantar, ler meus jornais e começar um novo dia... E ainda por cima, o programa recebeu críticas ótimas!

UMA SEMANA NA MINHA VIDA

Para mim, tornou-se uma tradição incluir um capítulo em meus livros com a descrição de uma semana típica da minha vida. Os leitores sempre dizem que gostam muito dessa parte e não quero decepcionar ninguém. Aqui está um registro dessa primavera, antes da segunda temporada de *O Aprendiz* tomar conta da minha vida. Há alguns bons exemplos que mostram o que penso sobre meu tempo, meus negócios e as pessoas que me cercam.

Segunda-feira

8h30 – Tenho uma reunião com Matthew Calamari, vice-presidente executivo, e *Norma Foerderer*, vice-presidente, sobre a *Trump Ice*, minha nova água engarrafada e sobre as camisetas com a inscrição "Você está demitido!", que não podemos manter em estoque devido à alta demanda. É um problema agradável de se ter. Depois de ver a popularidade da água engarrafada, decidi participar dessa competição criando a minha própria marca. Certamente é um mercado interessante.

Durante nossa reunião, Steve Riggio, da *Barnes & Noble*, telefonou, então conversei com ele por um tempo. Ele havia encomendado uma grande quantidade do meu último livro, *Como ficar rico*, e ligou para dizer que estava feliz por ter feito isso. Steve e Len, seu irmão, fizeram um ótimo trabalho com a *Barnes & Noble*.

9h – Eu fiz um pequeno vídeo na sala de conferências para o filho de Rich Handler, Max. O vídeo era para um projeto de escola. Depois, ele entrou no meu escritório e fizemos uma excursão. Espero que ele receba uma nota boa. Ele será um vencedor.

9h15 – Tivemos uma reunião do conselho da *Trump Tower* na grande sala de conferências. Larry Twill estava presente, assim como Sonja Talesnik, da minha equipe, entre outros. Essas reuniões são importantes para mim e não as negligencio. Essa é a lição número um na administração de propriedades. Tratamos de muitos assuntos nessas reuniões: as obras nos edifícios – funcionários, segurança, manutenção, construção – bem como o andamento das vendas e *leasing* das unidades. Eric Sacher, do meu departamento contábil, prepara um relatório da situação financeira do edifício e discutimos melhorias e atualizações, como reformas de corredores e qualquer coisa que proporcione a nossos inquilinos um ambiente ainda melhor.

10h – Telefono para Paul Spengler, de *Pebble Beach*, para falar sobre paredes de pedra. Paul é um cara legal e cheio de bons conselhos.

10h15 – Rhona chega para me dizer que Chris Matthews está pronto para a nossa entrevista agendada. Estamos ambos no horário, e nossa entrevista é de forma rápida e efetiva. Chris é o tipo de cara com quem gosto de pegar pesado.

10h45 – Todos nós assistimos Don Jr. na *CNN/Finanças*. Ele mencionou que se considera o verdadeiro *O Aprendiz* e como seu interesse em nossos negócios e trabalhar comigo foram um caminho natural para ele. Ele parece muito focado e inteligente, o que de fato é, e mencionou o quanto gostou de supervisionar a reconstrução da *Trump Park Avenue*. Ele fez um ótimo trabalho, devo acrescentar. Este edifício é o antigo *Delmonico Hotel*, um hotel famoso que já hospedou Ed Sullivan e os Beatles. Não é apenas um lugar bonito, mas histórico também.

11h – Eu fiz e recebi ligações de Scott Butera, Jon Tutolo, do *Trump Model Management*, e Ashley Cooper, do *Trump National Golf Club*, em Bedminster, Nova Jersey. Só recebi notícias positivas, então está tudo tranquilo até agora. Também recebi ligações de Tony Veneziano, Ray Royce, Jay Neveloff e Phil Ruffin. Todos esses caras vão direto ao ponto. É um prazer fazer negócios com eles.

11h45 – Minha equipe de empreendimentos imobiliários chega para uma reunião. Lá estão Charlie Reiss, Don, Jr., Russell Flicker, Jill Cremer entre outros. Passamos algum tempo dando os parabéns a Russel pelo nascimento de sua filha Molly no fim de semana. Ser pai é uma grande honra e estou feliz por ele. Minha equipe está na direção certa em seus projetos, e *Canouan Island* em pouco tempo será um pedaço do paraíso. *Canouan* está fora da ilha de Mustique e dará novo sentido à palavra "elite".

Conheci a Ilha de Canouan por intermédio desta equipe, e ela não apenas será rival de Bali em beleza e facilidades, como também será muito mais acessível. Teremos um campo de golfe de dezoito buracos, projetado por Jim Fazio e *Trump Island Villas*, que terá vilas de luxo e propriedades imobiliárias situadas em mil acres de um exuberante terreno montanhoso com vista para o oceano. Também terá um cassino de estilo europeu, o *Trump Club Privee*. Esta ilha será meu primeiro empreendimento no Caribe e estamos todos muito animados com isso.

12h30 – Recebi uma ligação de Paula Shugart sobre o próximo concurso *Miss Universo* em Quito, Equador. Este evento será grande e vamos analisar todos os detalhes. O concurso de *Miss EUA* superou todos os recordes este ano, e esperamos que o *Miss Universo* seja ainda melhor. As pessoas não podiam acreditar que realmente entrei no negócio dos concursos de beleza para ganhar dinheiro, mas foi exatamente isso, e tivemos um grande sucesso com eles. Mulheres bonitas podem ser uma grande atração.

Disse a Rhona que pedisse pizza para o almoço e liguei para Regis Philbin para conversar. Também passei algum tempo revisando alguns relatórios sobre minhas propriedades. Desde o episódio final da primeira temporada de *O Aprendiz* realmente tive tempo de me dedicar totalmente às minhas propriedades. Eu gosto de ser uma estrela de tv, mas sou um legítimo construtor e sempre serei.

Eu disse a Katie Couric, em uma aparição recente no programa *Today*, que ela não precisaria me ver novamente por alguns meses, depois de participar quase todos os dias na programação da manhã. Comecei a chamar o programa *Today* de *Yesterday* e *Tomorrow* para minha equipe.

13h – Liguei para Mike van der Goes, diretor do *Trump National Golf Course*, em Los Angeles, para receber uma atualização dos negócios. Este campo está ficando incrivelmente bonito, graças à experiência de Pete Dye e aos cuidados diários de Mike. Eu fiz uma visita recentemente em uma viagem a Los Angeles e mal posso esperar para jogar quando o campo for inaugurado.

Recebi o telefonema de um amigo que recentemente visitou Paris e foi ao *Lido*. No show, um avião chega em um efeito especial, e o público francês sentado à mesa ao lado exclamou: "Regardez! Doe-nald Trump est arrivé!" [Olhe! Doe-nald Trump chegou!; trad. livre] e depois passaram a falar sobre *O Aprendiz*. Ao que parece, eles recebem gravações dos episódios de amigos americanos. Acho que sou mundialmente famoso.

Eu recebo um telefonema sobre a placa de *O Aprendiz* que ficou pendurada em frente à *Trump Tower* até o dia do último episódio. Ela não está mais lá, mas chamou atenção da mídia, já que o município quase me aplicou uma multa por causa dela. A quantidade de dinheiro e turistas atraídos para a cidade de Nova York por causa de *O Aprendiz* parece não importar aos olhos dos governantes da cidade. Eu deveria estar surpreso?

Ligo para Melania para saber a que horas preciso estar pronto. Nós vamos ao Baile à Fantasia do *Metropolitan*, que é um evento fabuloso da cidade de Nova York, especialmente porque não sou obrigado a usar uma fantasia. Isso me lembrou de uma coisa e eu telefonei para Anna Wintour da *Revista Vogue*. Ela é fantástica!

13h30 – Telefonei para Carolyn Kepcher para uma atualização sobre as atividades no *Trump National Golf Club*, em Briarcliff Manor. Esta deve ser uma ótima temporada. Mesmo com todos os seus afazeres relacionados a' *O Aprendiz*, ela continuou tão eficaz como antes no cargo de vice-presidente executiva. Ela poderia ser uma espécie de mulher maravilha, considerando suas atividades executivas, a participação regular de uma série de TV de sucesso e sendo mãe de dois filhos. Ela dá conta do recado.

Eu recebi uma ligação do Paul Davis, CEO do *Trump Place*. Ele é outra pérola. Ele tem uma propriedade imensa para administrar e, com seu talento, tenho certeza de que está em boas mãos. Esta não é apenas uma propriedade para mim, mas uma comunidade. Faça uma visita aos cais em um final de tarde e você terá uma experiência em Nova York que jamais irá ser esquecida.

Repassei as letras das músicas para o evento beneficente de Katie Couric a bordo do *Queen Mary 2* na cidade de Nova York. Estarei acompanhado por Harry Connick Jr. Como já cantei no *Saturday Night Live*, esse evento não deve ser muito difícil. Esta deve ser uma bela noite. Espero que Harry consiga me acompanhar. No entanto, de acordo com esse *script*, ele me demitiu. A vida, como todos sabem, não é justa.

Jay Bienstock e Kevin Harris, da *Mark Burnett Productions*, estão de volta à cidade. Eles vieram para revisar as escolhas para a segunda temporada de *O Aprendiz*. Não posso falar disso com você agora, mas parece que teremos mais uma temporada emocionante. Eu tenho um relacionamento tranquilo com todo o time de Mark e tivemos uma reunião produtiva. Iremos filmar uma cena da abertura na Estátua da Liberdade na próxima semana, desde que possamos obter autorização nestes dias de maior segurança.

14h30 – Retornei várias ligações recebidas durante a reunião. Ainda estamos decidindo qual tipo de cadeira será usado em Palos Verdes, sede do *Trump National Golf Club* / Los Angeles, e várias cadeiras foram trazidas e alinhadas em meu escritório para pensar a respeito. No clube, temos um salão de bailes espetacular para sediar eventos formais. Deixarei as cadeiras no meu escritório por alguns dias para ver como se "assentam". As cadeiras erradas podem arruinar o salão. Na verdade, deveria ver mais alguns modelos para poder decidir. Então pedi que a minha equipe trouxesse um total de oito cadeiras para poder analisar. Esse salão de festas parece ter se tornado a opção número um para casamentos e está com a agenda reservada por um longo período.

Norma mantém minha agenda em dia, o que se tornou um desafio ainda maior nos dias de hoje. Ela entrou no escritório para me atualizar sobre os eventos importantes da semana, as reuniões do conselho etc. Ela também me contou sobre ligações inusitadas. Hoje de manhã, recebemos uma ligação de um imitador do Al Pacino que queria conversar comigo. Essa ligação quase chegou ao meu escritório até que "Al" pediu o telefone de uma de minhas assistentes. E recebemos outro cheque de 250 mil dólares de alguém que pagará para trabalhar aqui, algo que ocorreu várias vezes nos últimos meses. Se pensávamos que recebíamos muitas correspondências e ligações antes de *O Aprendiz*, estávamos certos. Mas agora, recebemos dez vezes essa quantidade e estamos fazendo o possível para acompanhar. No entanto, se levar mais tempo para receber uma resposta nossa, você já saberá o porquê.

15h – Jason Greenblatt entrou para discutir algumas coisas e Bernie Diamond, consultora geral, entrou para discutir questões de licenciamento. Minha equipe jurídica está sempre muito ocupada e sabe que precisa me manter informado de tudo. Até George Ross, com seu tempo comprometido por causa de *O Aprendiz*, conseguiu acompanhar todos os novos problemas que encontramos ao lidar com questões mais comuns a uma empresa de produção do que a uma organização de gerenciamento de propriedades. Acho que todos nós gostamos dos novos desafios, e ninguém aqui pode se lembrar do tédio.

Dan Roth, da revista *Fortune*, ligou para falar sobre a repercussão positiva gerada por seu artigo de capa sobre mim. O artigo é intitulado "A vida do troféu: Você acha que o *reality show* de sucesso de Donald Trump é um circo? Passe algumas semanas vendo-o trabalhar." As pessoas sempre se surpreendem com o quanto eu trabalho, o que de certa forma me surpreende, porque não considero isso um trabalho – mas uma diversão.

15h30 – Jeff Zucker, da *NBC*, telefonou e discutimos a audiência impressionante que o episódio final de *O Aprendiz* gerou. Quase quarenta e um milhões de espectadores assistiram ao programa. Foram números impressionantes para um programa novo e até mesmo para um programa antigo, e estou orgulhoso disso. Se vou fazer alguma coisa, não importa o que seja, quero que seja incrível. Recebemos quase um milhão de inscrições para a segunda temporada de *O Aprendiz*, quase cinco vezes mais do que na primeira temporada. Eu e a *NBC* estamos aguardando ansiosamente a nova temporada.

Um repórter telefona para verificar se, no *Larry King Live*, me ofereci para pagar pela educação de Troy. Troy esteve em *O Aprendiz* e é muito inteligente, mas não teve muita educação formal. Ele é um bom exemplo de alguém que merece o melhor, o que inclui uma formação de sucesso. Homens como Troy tornam a América um ótimo lugar para se viver.

15h45 – A próxima ligação é boa. Esse empreiteiro está tão estressado que precisei desligar na cara dele. Considerando o que acabei de ouvir, acho que levará alguns dias até que ele volte à razão. Enquanto isso não acontece, não irei atender suas ligações. Em vez disso, liguei para Ron Baron para ouvir alguma frivolidade.

16h – Meu piloto, Mike Donovan, telefonou. A coisa mais importante a se pensar quando você tem seu próprio 727 é o piloto certo para o trabalho, e tive muita sorte de encontrar Mike.

O que há de errado com as segundas-feiras? Mais um empreiteiro que está totalmente louco. Se hoje fosse o dia da mentira, eu poderia lidar com esse tipo de ligação, mas não é, e esse telefonema também recebe o que merece.

Recebi uma chamada de Costas Kondylis, um homem inteligente e elegante, o que é um alívio em relação aos últimos telefonemas. Analisamos alguns detalhes e discutimos as próximas Olimpíadas de Atenas. Costas é da Grécia e tem ótimas ideias sobre a cultura grega. Como mencionei em meu último livro, uma das razões que me fez tomar gosto pela leitura dos filósofos gregos, foi a influência de Costas.

Eu liguei para a Tiffany na Califórnia. Eu a vi recentemente quando participei do concurso de *Miss EUA* no *Teatro Kodak*, em Hollywood. Rick e Kathy Hilton também compareceram conosco, assim como Roberto del Hoyo, do *Beverly Hills Hotel*.

John Spitalny, do *Bear Stearns*, ligou. Jogamos golfe juntos e gostamos de discutir muitas coisas. John dá uma dimensão inteiramente nova às finanças quando começa algo. Ele é o exemplo de alguém que aplica conhecimento abrangente a cenários específicos. É um especialista do mais alto nível. Ele mantém a mente aberta para tudo e, se você fizer uma pergunta, ele encontrará uma maneira de respondê-lo no nível em que poderá compreender com mais facilidade.

Liguei para John Stark, outro cara incrível, e recebi uma ligação de Joe Cinque, do *Five Star Diamond Hospitality Awards*. Falamos sobre um de nossos lugares favoritos, o *Beverly Hills Hotel*, e o que o torna tão especial, que é basicamente tudo. É um arraso. Joe é durão em seus elogios ao meu clube Mar-a-Lago em Palm Beach, o que não é um problema para mim. Discutimos o novo salão de baile em Mar-a-Lago, que está quase sendo finalizado.

Também discutimos o fato de que nossa recepcionista da *Trump Organization*, Georgette Malone, voltou a trabalhar hoje depois de se recuperar do ataque cruel de um *pit bull*. Os médicos conseguiram salvar seus dedos e mãos, mas foi um longo processo. Estamos todos felizes em tê-la de volta quase inteira. Se me permitir, gostaria de dar um conselho: não tenha *pit bulls* como animais de estimação. Depois de ver o que aconteceu com Georgette, eu e nenhum de nós aqui nunca mais esqueceremos disso.

Recebi algumas ligações sobre diferentes propriedades e depois conversei com Elaine Diratz sobre eventos na *Trump World Tower*. Desde que as pessoas viram a cobertura em um episódio de *O Aprendiz*, esse prédio se tornou uma propriedade muito requisitada. Há uma enorme lista de espera de pessoas que desejam comprar um apartamento!

Tom Downing, gerente geral do *Trump International Hotel and Tower*, me ligou. Tom também apareceu em *O Aprendiz* na rodada semifinal de entrevistas e é um membro importante da nossa organização. Filmaremos uma cena de distribuição de tarefas para a próxima temporada de *O Aprendiz* no *Jean Georges*, o restaurante localizado no hotel. Administrar um ótimo hotel é muito difícil, mas sob a liderança de Tom, o hotel tem sido constantemente elogiado por críticos e hóspedes.

16h30 – Allen Weisselberg, meu CFO, chegou para uma reunião, e então eu lhe mostrei algumas amostras de tapete e pedi a sua opinião. Gosto de receber tantas opiniões quanto possível antes de tomar uma decisão. Também perguntei a ele sobre as cadeiras que estou analisando. Rhona entrou no escritório e pedi a opinião dela também. Essas cadeiras não estão boas, e vejo que vou ter que encomendar mais algumas.

17h – Analisei algumas fotografias dos empreendimentos e li uma pilha de faxes que chegaram. Temos vários aparelhos de fax e eles nunca param de trabalhar. Então analisei uma pilha de cartas. Eu gosto de ler as cartas escritas por estudantes. Algumas escolas escreveram sobre cada episódio de *O Aprendiz* e o que tinham aprendido com ele.

Em uma turma do Illinois, Troy é o candidato mais popular, seguido por Kwame, e eles acham que a cidade de Nova York parece ser muito divertida. Os alunos enviaram 28 críticas manuscritas e, embora eu não concorde com tudo o que dizem, elogiarei a caligrafia deles. Não posso responder individualmente a todos eles, exceto para agradecer o tempo e comentários atenciosos.

17h30 – Eu autografei um livro para Alex Rodriguez, mais conhecido como A-Rod, quando ele veio ao nosso escritório para uma visita. Eu o levei para dar uma volta e me diverti ao ver as expressões de surpresa no rosto de todos. Espiamos uma reunião na grande sala de conferências, e todo mundo olha duas vezes. Ele é fácil de reconhecer e esta é uma ótima maneira de terminar uma segunda-feira. Eu já havia encontrado A-Rod antes, pois ele está pensando em comprar um apartamento na *Trump Park Avenue*. Ele é um cara legal e um ótimo jogador.

18h – Robin me disse que um dos empreiteiros malucos com quem falei antes ligou novamente. Todos eles podem esquecer isso por hoje. Já chega. Peguei alguns faxes e documentos e subi as escadas.

Terça-feira

8h45 – Tive uma reunião com Steve Kantor, do *Credit Suisse First Boston*, e Brian Harris, Peter Smith, e Matthew Kirsch, do *UBS*. Gosto desses caras e nossas reuniões nunca são um problema. Eu sempre me dou bem com banqueiros e aprecio suas visões de mundo. Às vezes, as pessoas me perguntam sobre qual é a melhor maneira de lidar com banqueiros. Sempre digo para lhes dar o respeito que merecem. Essa é a melhor maneira.

9h30 – Tomei uma Coca-Cola *diet* e li um artigo em que sou chamado de "o Elvis dos negócios". Vou tomar isso como um elogio.

Rhona veio trazer as minhas mensagens e pedi que ela retornasse algumas ligações.

Olhei algumas fotos do episódio final de *O Aprendiz* e da festa que tivemos aqui na *Trump Tower* depois do encerramento. Era um circo midiático, mas todos nos divertimos. Eu nunca pensei que levaria uma hora para caminhar 30 metros, mas foi o que aconteceu. Minha linda irmã Maryanne compareceu, mas só ficou cerca de quinze minutos antes de sair. Encontrei uma bela foto dela com Norma. Pedi a Rhona que enviasse a foto para ela.

10h – Assistimos a entrevista de Mike van der Goes, diretor do *Trump National Golf Course* / Los Angeles, sendo questionado na *Fox TV* sobre seu emprego ter sido oferecido como uma das duas opções para o finalista de *O Aprendiz*. Mike havia sido avisado dessa possibilidade, e devo dizer que fiquei aliviado quando Bill Rancic escolheu a torre de Chicago como seu projeto, pois Mike está fazendo um ótimo trabalho. Ele também deu uma ótima entrevista ao vivo. Felizmente, Mike tem muitas qualificações, incluindo ser um jogador de golfe talentoso, então, certamente encontraríamos uma posição adequada para ele dentro de nossa organização sem nenhum problema. A versatilidade é sempre um benefício para todos, mas estamos felizes que Mike esteja onde está.

Helmut Schroeder, que administra algumas propriedades para mim em Nova Jersey, chegou para fazer uma visita. Conversamos um pouco e Robin veio me avisar que Paula Shugart e nossa nova *Miss EUA*, Shandi Finnessey, do Missouri, estão aqui para me ver.

Apontei Shandi como minha favorita durante o concurso em Los Angeles e eu estava certo. Ela é uma beldade.

Tom Barrack telefonou. Tom é um dos investidores imobiliários mais inteligentes dos Estados Unidos. Ele quer investir no meu prédio de noventa andares em Chicago. Ele dirige o *Fundo Colony Capital*, e eu construí um prédio na 610 Park Avenue em parceria com Tom. Esse empreendimento tem sido um grande sucesso. Tom não é apenas um investidor brilhante, ele também é um grande amigo.

10h30 – Nosso misterioso imitador de Al Pacino ligou novamente. Quem quer que seja, é muito bom no que faz, mas não é bom o suficiente. Finalmente nos livramos dele. Eu realmente duvido que Al Pacino esteja ansioso para se candidatar ao *O Aprendiz*. Ligamos para o escritório de Al e informamos que alguém está se passando por ele.

11h – Norma entrou para me avisar sobre o funeral de Estée Lauder, que faleceu recentemente. Ela foi uma das pessoas mais extraordinárias que já conheci, e lamento que ela tenha ido embora. Ela deixou um belo legado e jamais será esquecida. Seu "pequeno negócio", como se referia à linha de cosméticos fundada por ela, controla 45% do mercado de cosméticos nas lojas de departamentos dos EUA. Ela teve uma ideia e mergulhou de cabeça. Ela foi uma das maiores vendedoras de todos os tempos e um grande exemplo para todos os empresários.

Steve Florio, da *Condé Nast*, telefonou e depois assisti o corte do novo comercial que filmei na semana passada para a *Visa*. O comercial arranca uma grande risada da minha equipe. Espero que o público da tv goste tanto quanto eles. A princípio, pensei que talvez não fosse bom para minha imagem ser visto em uma lixeira procurando meu cartão de crédito, mas gosto de expandir meus horizontes sempre que possível e, felizmente, isso é apenas um papel. No entanto, acho que o *Visa* é um ótimo cartão para se ter, ou não recomendaria, especialmente em uma situação tão extrema.

Recebo uma ligação da *Random House* sobre o meu novo livro e disse que consegui encontrar tempo para trabalhar nele. Gosto de escrever livros e, se gosto de alguma coisa, posso encontrar tempo para isso. Eles parecem acreditar na minha palavra, considerando que tenho um bom recorde de vendas. Tivemos duas noites de autógrafos na semana passada, no *Grand Central* e no *Borders*, em Wall Street. O *feedback* foi incrível. Foi divertido conhecer as pessoas que apareceram.

11h30 – Você pensaria que ainda era segunda-feira, já que outro empreiteiro acabou de me ligar. Se você acha que estou inventando essas coisas sobre eles, você está errado. E não estou querendo acabar com eles. É que fatos são fatos, e o que eles me revelam é uma coisa inteiramente diferente. Me acalmo antes de explodir, olhando pela janela e me perguntando se devo ligar para Darrell Hammond, do *Saturday Night Live*, para ver se pode me substituir por um tempo.

Kevin Harris veio me buscar para irmos ao *set* da nova temporada de *O Aprendiz*. A sala de reuniões foi deixada intacta, mas os alojamentos foram refeitos. Estão incríveis.

12h – Eu fui com Brian Baudreau para uma reunião na *Trump World Tower* na *UN Plaza*. Também fomos até o escritório de vendas e nos encontramos com Elaine Diratz. Eu amo este edifício. Certa vez, quando foi finalizado, andei até o topo – noventa andares – apenas para sentir a maravilha do edifício. Esse não foi um fato isolado em relação aos meus prédios – acontece de tempos em tempos.

Brian, que trabalha comigo há dezessete anos, vai se mudar para Las Vegas neste verão para ser o representante do proprietário da minha nova torre na cidade. Brian está comigo há tempo suficiente para ter uma ótima percepção sobre tudo e todos, e tenho o prazer de fazer dele um executivo.

13h – De volta ao escritório, vi Robin comendo uma deliciosa salada da praça de alimentação e disse que ela pedisse uma para mim. Comecei a retornar as ligações recebidas de minha filha Ivanka, Rick Hilton e outros. O próximo mês terá um evento importante: teremos a formatura de Ivanka em *Wharton*. Alguém comentou que, se entrar na *Wharton* não é fácil, sair é ainda mais difícil. Ela recebeu ótimas notas e estou extremamente orgulhoso.

13h30 – Recebi uma ligação de Bob Wright. Teremos um jantar na próxima semana com sua linda esposa, Suzanne. Me sinto com sorte por gostar das pessoas com quem faço negócios e Bob é um exemplo perfeito disso. Falamos sobre o comentário de Jeff Zucker no *The New York Times*: "No fim das contas, a nova temporada de *Friends* não teve os trinta minutos de comédia esperados. Vimos isso em *O Aprendiz*."

Recebi uma ligação de Mark Burnett para revisar a possível distribuição de tarefas pensada até agora para a nova temporada de *O Aprendiz*. Aprendi com o passar do tempo que algumas ideias são ótimas, mas não ficam boas na tela. Por exemplo, escrever uma apresentação pode parecer uma boa tarefa para os candidatos, mas é uma atividade passiva, não há ação suficiente e no final das contas, seria chato de assistir. Como estamos filmando em um local empolgante, como a cidade de Nova York, as locações também devem ser muito bem pensadas. Existem inúmeros detalhes a serem considerados.

14h – Don Jr. e Andy Weiss chegaram para uma reunião. Eles formam uma boa dupla e são ótimos trabalhadores. Não estou certo sobre qual dos dois tem o escritório mais bagunçado; acho que daria um empate.

Laura Cordovano telefonou para falar sobre as vendas da *Trump Park Avenue*. Tudo está indo bem por lá, e decidi ligar para Susan James do escritório de vendas do *Trump International Hotel and Tower*. Gosto de checar a situação de todas as propriedades pessoalmente. Parece que está tudo às mil maravilhas. No setor imobiliário, as grandes propriedades podem tornar a vida de todos os envolvidos mais divertida. Grandes mercados também não são ruins.

Bernd Lembke, do Clube Mar-a-Lago, ligou para me informar sobre o andamento do salão de baile e outros trabalhos que estão sendo feitos por lá. Discutimos as molduras ao redor dos espelhos, e eu as verei pessoalmente no próximo final de semana.

14h30 – Recebi uma ligação de Verne Gay, crítico de televisão do *Newsday*. Em uma de suas críticas, ele disse coisas muito boas sobre mim, incluindo o fato de que sou "a maior estrela da história dos *reality shows*".

O promoter de boxe Don King ligou. Don é uma figura que eu conheço há muito tempo. Ele acredita muito no "visual" e toda vez que me vê, começa a gritar, com sua voz magnífica: "Don, você tem o visual! Você tem o visual!" Bem, concordo que Don também tem "o visual". Isso realmente deve significar alguma coisa!

Falo com Herbert Muschamp, do *The New York Times*, que está fazendo um *review* sobre um dos meus prédios. Herbert tem sido muito gentil comigo ao longo dos anos, e espero que continue sendo, mas, independentemente disso, ele é um crítico de arquitetura muito talentoso e um cara incrível.

15h – Bill Rancic, vencedor da primeira temporada de *O Aprendiz* está aqui para fazer uma visita. Minha equipe o recebeu calorosamente e ele deu uma volta pelo escritório para conhecer todos os novos colegas. Acho que ele se encaixará bem e estamos felizes em tê-lo a bordo. Temos uma reunião em meu escritório com Charlie Reiss, Russell Flicker e Don Jr. Charlie supervisiona a construção da *Trump Tower Chicago*. Bill está se saindo muito bem e não parece estar intimidado com a pressão de fazer um bom trabalho. É preciso admitir que ele tem um foco impressionante. Espero que continue assim.

15h45 – Fiz uma ligação para o meu grande amigo John Myers, da *GE*. O filho dele foi ferido no Iraque, e quero saber como ele está.

John Burke e Scott Butera entraram para uma reunião e fomos interrompidos por um alarme de incêndio. Desde o 11 de setembro, acho que as pessoas não reclamam tanto dos alarmes de incêndios. Eles são muito importantes. John é o vice-presidente executivo e tesoureiro e Scott é diretor de finanças corporativas e desenvolvimento estratégico. Scott é um jovem muito talentoso que em breve comandará a empresa de cassinos. Discutimos as operações e o refinanciamento do cassino, especificamente o investimento do *Credit Suisse First Boston* na proposta de recapitalização das empresas de cassino. É muito interessante.

16h30 – Robert Morgenthau, um dos maiores, telefonou. Ele trabalha com dedicação para a *Police Athletic League* há mais de quarenta anos e é um dos promotores mais respeitados da história do sistema judiciário americano. Faremos uma homenagem a ele no jantar anual do *PAL Superstar* no *Hotel Pierre*, em junho, e terei o prazer de ser o anfitrião deste evento. Esperamos angariar 1,7 milhão de dólares para a *PAL*, um recorde. Bill Clinton será o apresentador.

Bill Carter, do *The New York Times*, telefonou para me fazer algumas perguntas sobre *O Aprendiz*. Bill é um repórter de televisão muito talentoso e respeitado. Ele foi o primeiro a notar que o sucesso tremendo de *O Aprendiz* nas noites de quinta-feira não foi o mais impressionante. O que mais o deixou impressionado foi o sucesso estrondoso da reexibição do programa nas noites de quarta-feira e outras vezes na *CNBC*. Bill afirmou que, se não houvesse todas essas reprises semanais, os números nas noites de quinta-feira teriam sido ainda melhores, se isso for possível.

Rick Reilly, da *Sports Illustrated*, me ligou, mas eu não atendi. Ouvi algumas críticas negativas sobre o trabalho de Rick Reilly e, depois de ler o capítulo sobre mim em seu livro *Who's Your Caddy?* [Quem é o seu *caddie*?;[5] trad. livre], devo dizer que concordo com os críticos. Discordo totalmente de muitas das afirmações de Reilly no capítulo sobre mim e a alegação de que eu ando por aí chamando as pessoas de "bebê" é simplesmente ridícula. O resto é muito trivial para ser mencionado. Mas mesmo que Rick, segundo seu livro, devesse ser meu *caddie*, o convidei para jogar uma partida de golfe comigo. Rick é um bom jogador de golfe, com um bom *handicap*, mas teve um dia ruim. Jogamos sem tacadas, e no final de nove buracos ele havia perdido os nove, e em uma rodada de dezoito buracos ele perdeu quatorze. Rick me disse que foi a pior surra que já levou, e disse a ele que não iria mencionar isso em seu livro. Ele disse: "Não, Donald, eu vou mencionar sim. Eu perdi de lavada." Reiterei novamente a ele: "você nunca vai dizer como perdeu feio". No final das contas, ele fez alguma referência a essa derrota, mas nada como o que realmente aconteceu naquele dia. Apenas os *caddies* e minha equipe sabem como foi. Bem, pelo menos Rick disse que o *Trump National Golf Club* em Westchester é um ótimo campo de golfe. Tenho a sensação de que não irei jogar com Rick novamente.

Durante a rodada, Reilly passou muito tempo conversando sobre a *Sports Illustrated*, *ESPN* e seu novo contrato. Eu achei que

---

5   *Caddie*, no golfe, é a pessoa que carrega as bolsas com tacos e, eventualmente, dá conselhos ao jogador. (N. P.)

ele estivesse jogando as empresas uma contra a outra. Meu conselho a ele foi que ficasse ao lado da *Sports Illustrated* por uma questão de lealdade. Eu disse: "Não seja um canalha, e fique com as pessoas que o colocaram lá – é uma pequena coisa chamada lealdade". Ele acabou assinando com a *Sports Illustrated*.

Decidi dar um passeio pelo corredor e visitar Jeff McConney e Eric Sacher. No caminho, esbarrei em George Ross e tivemos uma breve conversa. Ele me disse que almoçar no *Trump Grill* tem sido bastante animado, pois agora as pessoas o reconhecem do show. George sabe lidar com isso, e às vezes até sorri para as pessoas.

Recebi uma cópia de um artigo da escritora e editora Patricia Baldwin, que me entrevistou para a revista *Private Clubs*. Ela começou o artigo com uma citação do Dizzy Dean, do Hall da Fama do beisebol: "Você não está se gabando se puder fazer o que diz." A conclusão dela: eu não sou um fanfarrão, apenas sou incrivelmente bom no meu trabalho. Patricia passou um dia comigo enquanto visitava meu campo de golfe em Palos Verdes, Califórnia.

17h15 – Dei uma olhada no meu escritório e percebi que preciso tentar reduzir o tamanho de algumas pilhas de papel, então Norma entrou e começamos a fazer uma seleção. Acabamos com várias pilhas menores. Bem, já é um começo. Pelo menos, agora posso ver pessoas do outro lado da minha mesa. Norma me contou que desde que apareceu no programa, as pessoas a pararam na rua e nos restaurantes, e até no ônibus, para pedir autógrafos. Nossas vidas realmente mudaram.

Recebi uma ligação de Bob Kraft, dono do *New England Patriots*. Quando Bob comprou o *Patriots*, eles estavam um desastre e agora são o melhor time de beisebol e são campeões do *Super Bowl*. Bob é um cara extraordinário que fez um trabalho extraordinário e que tem o melhor *quarterback* do mundo, Tom Brady, que também é meu amigo.

Analisei os faxes que chegaram no período da tarde, decido se tenho tempo para aceitar compromissos públicos e escolho fotografias solicitadas por uma revista. Considerando que as gravações da nova temporada de *O Aprendiz* começarão em menos de dez dias, precisamos administrar o tempo que tenho para atividades fora dos negócios da *Trump Organization*. Eu não estou dando uma de difícil. Só preciso manter minhas prioridades em ordem. Norma sabe lidar com minha agenda e recusar convites com elegância, e essa é uma das razões pelas quais ela é uma excelente profissional.

Meu filho Eric ligou. Ele estará presente na formatura de Ivanka no próximo mês, junto com todos os outros membros da família.

18h – Jay Bienstock e Kevin Harris chegam para discutirmos mais algumas ideias para as provas em *O Aprendiz*. Esta etapa é uma parte importante do programa e eu gosto estar ativamente envolvido em todas as decisões. Além disso, o fato de ser um nova-iorquino nativo e conhecer bem o território ajuda muito. Passamos mais ou menos uma hora analisando muitos detalhes e pensando em algumas possibilidades.

19h – George Steinbrenner telefonou. Não importa com quem eu possa estar, se eles ouvem que George está ao telefone, ficam impressionados – ele é um verdadeiro vencedor e falar com ele é sempre como tomar uma injeção de adrenalina. Eu amo George e seu jeito de vencedor!

Estou pronto para uma noite movimentada na cidade de Nova York, então encerro o dia e vou para casa.

Quarta-feira

8h – Decidi descer um pouco mais cedo hoje para atualizar algumas das minhas correspondências. Aqui está a carta de um estudante do ensino médio em Wichita, Kansas, que escreveu: "Embora sua história de sucesso nos negócios seja inspiradora, tenho outro motivo mais incomum para torná-lo meu herói: Você vive ricamente. Embora possa parecer estranho, estou cansado das pessoas que realmente fazem algo para ganhar fortuna e ficam sentadas sem usá-la. Em você finalmente encontramos um homem que vive ricamente." Esse é um belo elogio, embora, na verdade, levo uma vida muito mais simples do que a maioria das pessoas poderia imaginar – mas não quero decepcionar esse jovem.

Leio a carta de um cara que se lembra do meu pai ajudando-o a trocar um pneu furado quando ele era jovem no Queens. Ele agora está trabalhando em documentários e escreveu para me dizer que nunca esquecerá a bondade de meu pai. Eu também nunca vou me esquecer.

8h15 – Recebi meu primeiro telefonema do dia, de Paul Spencer, de *Pebble Beach*. São 5h15 da manhã na Califórnia e ele já está de pé e a todo vapor. O tipo de cara que gosto!

Norma vem me contar de sua reunião com a *Random House* sobre o *kit* de três livros que está sendo preparado para o Natal. Precisamos pensar lá na frente.

Richard LeFrak entrou para ver a construção em seu prédio a partir do meu escritório, que fica de frente para o dele. A "parede cortina" que está sendo erguida agora parece perfeita. Ele é outro cara com quem gosto de fazer negócios, e nossas reuniões são sempre animadas e divertidas. Richard menciona que meu escritório está um pouco bagunçado, então eu mostro a ele o escritório de Norma e nossa pequena sala de conferências, ambos completamente cobertos com caixas cheias de cartas de fãs, propostas e correspondências que ainda não foram abertas. Estamos recebendo até vinte caixas de correio por dia e tivemos que contratar seis pessoas apenas para lidar com isso. Então eu começo a trabalhar um pouco mais cedo a cada dia, assim como muitos de nós aqui. Ao mostrar a Richard nossos escritórios e o que está acontecendo aqui, noto que a maioria das pessoas já está trabalhando, e nosso dia não começa oficialmente antes das nove horas. Todos nós estamos tentando acompanhar o ritmo exigente.

8h45 – Desci as escadas com Richard para mostrar a ele o *set* e as acomodações de *O Aprendiz*. Os novos candidatos a aprendiz devem chegar em menos de uma semana e o local está muito bonito.

9h15 – O telefone começou a tocar, então comecei a retornar ligações. Jerry Schraeger, Tom Bennison, Lee Rinker. Lee é o profissional de golfe no *Trump International Golf Club*, em Palm Beach, e eu gosto de conversar sobre o jogo com ele. Ele está explicando como a estratégia de um vencedor incluirá a derrota e os bons jogadores terão sempre um plano de contingência à mão. Há uma razão para o golfe ser conhecido como um jogo de inteligência.

9h45 – Rhona entrou para me lembrar que terei um almoço com Steve Florio no *Four Seasons* na próxima semana. Raramente saio para almoçar, mas Steve é um amigo, ex-presidente e CEO das publicações *Condé Nast* (e eu gosto muito desse cara). Ir ao *Four Seasons* com Steve é sempre muito divertido e interessante. Conversamos sobre muitos assuntos quando nos reunimos, de vendas cruzadas, a publicações e fragrâncias. Steve está a par de tudo e trabalhou com um dos homens mais interessantes e brilhantes nos negócios atualmente, S. I. Newhouse.

Jim Dowd, da *NBC*, ligou para conversar. Após a agitação da mídia nas últimas semanas, sentimos que estamos tirando umas miniférias um do outro. Jim é uma daquelas pessoas extremamente eficientes e fáceis de trabalhar. O sócio de negócios ideal.

Matthew Calamari e seu irmão Mike chegaram para uma reunião e pedi que Andy Weiss e Don Jr. se juntassem a nós. Ainda estamos fazendo os últimos ajustes no empreendimento da *Trump Park Avenue*. Instalar a cobertura da entrada é bastante complicado na Park Avenue, e estamos usando uma estrutura com aço reforçado. Uma obra de tamanha beleza merece toda a nossa atenção e este edifício, que acabou sendo um grande sucesso, está recebendo todos os cuidados possíveis.

10h30 – Melania telefonou para ver se ainda iremos assistir a estreia de *Bombay Dreams*, na Broadway, em duas semanas. Nós vamos e decidimos jantar no *Da Silvano*, um ótimo restaurante italiano no Village, depois do espetáculo. Tentamos planejar tudo com antecedência, tanto quanto for possível.

Jason Binn, o editor de *Gotham*, telefonou e discutimos o que está acontecendo nas duas extremidades do país. Depois, li uma nota de agradecimento de Mark Cuban em relação a seu programa, *The Benefactor*. Esta nota foi publicada na *web*. Ele afirma que "nossos encontros foram como um teste de realidade para mim" porque ele percebeu que jamais iria querer ser alguém como eu. Mas então, eu me pergunto: por que será que ele comprou um apartamento em um dos prédios com o meu nome? Eu acho estranho que ele esteja tentando me envolver para obter alguma publicidade para o seu programa. Mas ele é realmente um cara legal e espero que seu programa seja mais bem-sucedido do que seu time de basquete. Além disso, ele não tem chance alguma de derrotar *O Aprendiz*.

Kevin Harris chegou para uma reunião sobre minha agenda durante a segunda temporada de *O Aprendiz*. Tenho apenas mais uma semana de "descanso" e tudo começará novamente. Disse a Kevin que ele é realmente um "pé no saco", mas que me acostumei com ele. Ele também se acostumou comigo, então posso dizer isso a ele. Ele riu e saiu.

11h15 – Jeff McConney entrou para discutirmos algumas questões de licenciamento, seguido por Eric Sacher, que me atualizou sobre as finanças do *Trump Model Management*. Depois, pedi a Bernie Diamond que entrasse e avaliasse uma lista de projetos, seguido por Nathan Nelson, que me forneceu as últimas informações sobre nosso *leasing* comercial. Esses caras sabem das coisas e são rápidos em dizer o que preciso saber. Allen Weisberg, diretor financeiro, chegou para falar sobre vendas e aquisição de propriedades, e fizemos uma revisão geral. Allen está comigo há trinta anos e sabe como fazer as coisas. Então Jason Greenblatt fez um *briefing* sobre *O Aprendiz*. Ter seis reuniões importantes em 45 minutos não são um recorde, mas são uma boa indicação de como as coisas funcionam por aqui.

12h – Liguei para Mark Burnett e analisamos algumas coisas. Só porque tivemos uma temporada de sucesso, isso não significa que podemos afrouxar as rédeas. Estamos conversando sobre a dinâmica das cenas na sala de reuniões, que foi o momento mais esperado dos nossos episódios até agora. Estamos nos perguntando se devemos aumentá-los ou mantê-los rápidos e sucintos como na temporada passada. Decidimos ver como eles se desenrolam naturalmente e decidir a partir daí. É uma abordagem realista. Mark é um cara incrível, um bom amigo e um verdadeiro visionário. Ele disse que meu primeiro livro, *A arte da negociação*, teve uma grande influência sobre ele e aqui estou eu, escrevendo um livro dezesseis anos depois e citando o nome dele. É o sonho americano tornando-se realidade!

Enfim, de volta às cenas da sala de reuniões: às vezes, separo uma hora para uma reunião e ela não dura mais que dez minutos.

Ou exatamente o oposto, uma reunião de uma hora acaba levando duas. Algumas coisas são imprevisíveis e como o programa não tem roteiro, isso faz parte da emoção. Mark também é um cara bastante ocupado, e falamos rapidamente sobre todas as questões. Assim como eu, ele mantém o ritmo, o entusiasmo, o que acredito ser um denominador comum em pessoas de sucesso.

Jeff Zucker telefonou e discutimos os números da audiência. Este ano, a *ABC* transmitiu o *Oscar*, a *CBS*, o *Super Bowl* e a *NBC*, *O Aprendiz*. Ainda é difícil acreditar que *O Aprendiz* seja um dos programas de maior sucesso na história da televisão.

Recebi uma ligação sobre o anúncio do meu programa de rádio no *Clear Channel*, que deve começar no outono. Sempre gostei de programas de rádio e, ao longo dos anos, tenho feito participações regulares nos shows de Howard Stern e Don Imus. Isso será algo novo e mais um desafio. Estou ansioso para começar. Para conciliar com a minha agenda, a *Clear Channel* concordou em gravar os programas em meu escritório semanalmente. Leio tantos jornais e revistas a cada semana que nunca ficarei sem assunto, e decidirei falar sobre assuntos do meu interesse naquela semana. Será uma maneira de falar em público sem o incômodo de viajar. As matérias diárias de sessenta a noventa segundos se tornarão o maior lançamento de um novo programa na história do rádio – o que é muito legal.

12h30 – Decidi dar um pulo no *Trump Place*, às margens do rio Hudson. A cidade de Nova York é um espetáculo à parte durante a primavera. Não consigo pensar em um lugar mais bonito do que esse no dia de hoje. Até o rio está brilhando. Paul Davis me acompanhou pelo empreendimento e o trabalho está indo muito bem. Ter esperado vinte anos para ver algo florescer definitivamente adiciona um sabor especial ao projeto.

13h45 – No escritório, comecei a retornar as ligações e pedi o almoço no novo *Trump Grill*, que está rapidamente se tornando um dos melhores e mais populares restaurantes de Nova York. Norma entrou para revisar alguns eventos e propostas de negócios. Uma senhora escreveu uma carta pedindo que eu pagasse por seus implantes mamários, agindo de acordo com a minha máxima: "pensar grande". Justo quando acho que já vi de tudo na vida...

14h15 – Tenho uma reunião com o arquiteto Andrew Tesoro e Andy Weiss sobre o novo clube que estou construindo no *Trump National Golf Club*, em Briarcliff Manor. Telefonamos para Carolyn Kepcher para discutir algumas coisas.

14h45 – Recebi uma ligação de Steve Wynn, de Las Vegas. Ele estará em Nova York na próxima semana e iremos nos encontrar. Ele está interessado em *O Aprendiz*, então contarei a ele um pouco sobre como vão ser as coisas na nova temporada.

Então Regis ligou. Serei entrevistado por telefone no *Live* com Regis e Kelly amanhã de manhã sobre algumas grandes notícias que tenho para dar. Neste momento ainda é segredo.

Recebi uma ligação de Tony Senecal, meu fantástico mordomo e historiador de Mar-a-Lago. Melania e eu iremos à Flórida no próximo fim de semana.

Billy Bush, da *Access Hollywood*, ligou, então conversamos por um tempo. Todos nós achávamos que a mídia nos daria um descanso após o episódio final de *O Aprendiz*, mas nos enganamos. Não que isso me incomode, pois gosto muito da maior parte das pessoas da mídia com quem mantemos contato – Billy, por exemplo. Mas o interesse deles pelo programa ainda me surpreende.

Ainda não me acostumei a ser uma estrela de TV. Por exemplo, um dia, quando estava indo para a *NBC* ensaiar o *Saturday Night Live*, entrei no prédio com Brian, e havia filas de pessoas atrás de cordas esperando para fazer um *tour* pela *NBC*. Nosso assistente ainda não havia chegado para nos guiar até os elevadores, então fiquei ali, cara a cara com cerca de duas centenas de pessoas que ficaram surpresas ao me ver ali parado. As pessoas me encararam em silêncio, e então nosso assistente chegou para nos indicar o elevador correto. O silêncio continuou até que entrei no elevador e, quando as portas estavam se fechando, uma senhora gritou: "Olá, Sr. Trump! Você está demitido!" – e todo mundo começou a gritar loucamente. Eu consegui acenar de volta antes que as portas se fechassem. Um momento engraçado.

Desde que *O Aprendiz* começou a ser exibido, sou frequentemente recebido com um amigável "Você está demitido!" por pessoas que me veem na rua ou em um restaurante. Quem iria imaginar que essa frase se tornaria um substituto para "Oi, tudo bem?".

15h15 – Don Jr. e Charlie Reiss chegaram para uma reunião, durante a qual recebi uma ligação da minha filha Ivanka. Algum dia ela também participará dessas reuniões.

Norma entrou para revisar alguns convites para dar palestras. Participarei de um evento do tipo para Patti Giles em junho, mas precisarei aceitar o mínimo de convites por um tempo.

16h – Don Thomas veio para uma visita. É sempre bom vê-lo. Depois, farei uma reunião na grande sala de conferências com Jill Cremer, Russell Flicker, Don Jr. e Charlie Reiss. Minha sala de reuniões é realmente bonita. É uma sala elegante com uma iluminação perfeita. Acho que as pessoas produzem e pensam mais claramente uma sala bem equipada, do que em uma sala iluminada demais e mal decorada. Os empresários deveriam pensar mais nos interiores ao projetar seus escritórios. Alguns escritórios que visitei eram tão terríveis que a única coisa que eu conseguia pensar era em como sair dali o mais rápido possível, e posso imaginar que os funcionários que trabalham ali devem sentir a mesma coisa.

16h30 – Liguei para Melania e confirmamos os planos de jantar com Regis e Joy no *Jean Georges* esta noite.

Rhona chegou com alguns faxes e começo a retornar as chamadas recebidas durante a reunião. Um dos empreiteiros ligou várias vezes, mas ainda não irei lidar com ele. Há uma diferença entre "não consigo lidar" e "não vou lidar". Definitivamente, os empreiteiros ficam por último até se emendarem. Quanto aos bons empreiteiros, eu os adoro e trato-os muito bem.

17h15 – Analisei documentos e relatórios e pedi que minhas chamadas fossem retidas, exceto as mais urgentes. George Ross entrou e analisamos algumas coisas juntos.

18h – Perguntei a Robin sobre as ligações recebidas e retornei todas. Recebi uma ligação de Kevin Cook, da *Golf Magazine*. No próximo mês jogaremos uma partida de golfe no *Trump National / Briarcliff Manor*, um campo que a *Golf Magazine* realmente gosta.

18h30 – Dei boa noite a Norma e Robin e notei que sete ou oito caixas de correio chegaram da triagem da tarde. Precisamos dar uma olhada nisso. Amanhã.

Quinta-feira

8h30 – Tenho uma reunião com Bernie Diamond, conselheiro geral, sobre *Trump*, o jogo, que está sendo desenvolvido com a *Big Monster Toys* e a *Hasbro*. Tivemos uma reunião produtiva por cerca de meia hora e, em seguida, retornei uma ligação para Jean-Pierre Trebot, diretor executivo do *New York Friars Club*. Serei o convidado de honra em um famoso evento em outubro, e discutimos alguns assuntos.

9h – Serei entrevistado por Regis, em uma entrevista por telefone para anunciar o noivado com minha namorada há cinco anos, Melania Knauss. Nós dois estamos muito felizes juntos, e tenho a sorte de tê-la em minha vida.

9h30 – Fiz um vídeo na pequena sala de conferências para o meu cassino em Indiana.

Retornei as ligações de Bob Dowling, Sandy Morehouse e Vinnie Stellio, que é responsável por muitos projetos e está fazendo um ótimo trabalho. Também conversei com Richard LeFrak. Richard é o tipo de cara que percebe tudo.

Algumas pessoas chegam para conversar sobre as edições encadernadas em couro dos meus livros, que estão em andamento agora. Também revi meus planos de viagem para as próximas semanas, que precisam estar de acordo com o cronograma de atividades de *O Aprendiz*.

Recebi uma ligação sobre meu novo hotel / condomínio que está sendo construído em Chicago. Considerando que está programado para ser inaugurado em 2007 e já está com 60% das unidades vendidas, eu diria que fomos calorosamente recebidos na Cidades dos ventos. Chicago é um lugar incrível.

10h30 – Recebi uma ligação de Alfons Schmitt, de Palm Beach, e então Chris Devine, chef do *Trump Tower Grill* e do *Trump Tower Food Court*, entra para uma reunião. Vou contar a você um dos segredos mais bem guardados da cidade de Nova York: O *DT Burger* de Devine é o melhor hambúrguer da cidade. Vem com cogumelos portobello, cebola grelhada e queijo suíço. Experimente um no *Trump Tower Grill* e você certamente irá concordar comigo. Todo o resto do cardápio também é incrível, mas o hambúrguer é o meu favorito. Comerei um no almoço amanhã. O átrio com a cachoeira também é o cenário maravilhoso para uma refeição no centro da cidade. Experimente uma vez e você certamente voltará mais vezes.

Mohamed Al Fayed ligou, então eu atendi. É um prazer conversar com ele. Ele está ligando para parabenizar a mim e a Melania por nosso noivado. Stewart Rahr telefonou para me dizer que está pedindo almoço hoje para toda a minha equipe como uma comemoração do noivado, porque agora eles terão um chefe ainda mais feliz. Ele tem razão.

11h – Saí para ir até o *Trump National Golf Club*, em Briarcliff Manor, para checar a situação do campo de golfe da sede do clube. Estamos prontos para a temporada, então quero fazer uma vistoria da propriedade pessoalmente. Carolyn Kepcher e Vinnie Stellio irão ao nosso encontro. Estamos em um maravilhoso dia de primavera, e esse tipo de viagem é um dos muitos aspectos agradáveis do meu trabalho.

11h45 – Por que não? Vou jogar uma partida de golfe com John Spitalny e, ao fazer isso, faço uma vistoria completa da propriedade. Este campo é uma beleza do início ao fim. Meu jogo também está ficando bonito. Tento levar o golfe o mais sério possível, considerando minha agenda. Percebo algumas coisas na propriedade que precisam de melhorias. Algumas anotações são feitas e tenho certeza de que as coisas serão resolvidas imediatamente. Foi uma verificação muito bem-sucedida. Conversei com Cary Stephan, nosso profissional do golfe, e é hora de partir.

16h – Estou de volta ao escritório da *Trump Tower*, onde faço algumas ligações. Falei com o talentoso Richard Johnson, do *New York Post*, e Shawn McCabe, um jovem que está comigo há muito tempo e está fazendo um excelente trabalho de manutenção e construção de unidades adicionais em Mar-a-Lago.

17h – Kevin Harris apareceu com mais um cronograma monumental para ser revisado. Eu tento manter o provérbio "não mate o mensageiro" em mente, enquanto revisamos o cronograma juntos. Esse cara não para. Ele deve ter sido treinado por Mark Burnett. Ainda bem que sou um cara tranquilo.

Alguém me contou que David Letterman disse em seu programa: "Donald Trump é a maior estrela da América e ele não virá ao meu programa, mas eu gosto dele mesmo assim". David é um cara legal, sempre foi, sempre será. Ele só está no canal errado. Mas vou participar do show dele de qualquer maneira.

Liguei para Melania para ver o que vamos fazer esta noite, e parece que iremos ao *Le Cirque*. Eu chamei Charlie Reiss para examinar algumas ideias de empreendimentos. Charlie pode ser muito franco – basta perguntar a Amy, d*O Aprendiz* –, então nos damos muito bem. Ele nunca me faz perder tempo. Aprecio a capacidade de Charlie em avaliar rapidamente as coisas e encontrar soluções.

19h – Conversei com Matt Calamari e outros que ainda estão trabalhando e subo as escadas.

Sexta-feira

8h15 – Norma e eu nos reunimos para discutir como lidar com a imensa quantidade de correspondências que estamos recebendo.

Então, entendi como os editores ou empresas de filmes devem se sentir em relação às inscrições e por que eles têm regras sobre isso. Mal conseguimos atravessar nossos escritórios, e ela me mostrou onde dez ou doze caixas extras foram armazenadas.

8h45 – Recebi uma ligação de Bernd Lembke sobre ir a Palm Beach no dia das mães. Essa data marca o fim da temporada lá e é sempre um grande dia. Não sou muito de sentimentalismos, mas é um dia para boas lembranças de minha mãe e merece uma comemoração.

Liguei para minha irmã Maryanne para ver se o convite para uma refeição caseira ainda está de pé. Está sim. Ela é uma mulher muito inteligente e também uma ótima cozinheira.

9h – Tenho uma reunião com Tom Kaufman, Allen Weisselberg e George Ross; tratamos de muitos assuntos em menos de trinta minutos.

9h30 – Conversei com Bill Fioravanti, o alfaiate de Paul Anka. Paul se ofereceu para fazer um terno sob medida para mim – um gesto muito gentil vindo de um cara muito legal. O terno é incrível!

Conversei com Paula Shugart e Tony Santomauro sobre o próximo concurso de *Miss Universo* no Equador. Será um evento e tanto! Vou viajar para o evento, entre as gravações de *O Aprendiz*.

Falando nisso, aqui estão Jay Bienstock e Kevin Harris batendo à minha porta. Por que Mark contratou caras tão eficientes? Pelo menos eles sabem como fazer reuniões eficientes, e resolvemos tudo em quinze minutos.

10h – Liguei para Sean Compton, vice-presidente e coordenador nacional de programas do *Clear Channel*, para conversar sobre o meu programa de rádio, e Rhona veio me avisar sobre uma sessão de fotos com Scott Duncan. Não é a coisa que mais gosto de fazer na vida, mas gosto muito de Scott, por isso não deve ser muito difícil.

Li algumas cartas. Há uma moça de Arizona, que escreveu: "Até que enfim! *Um reality show* que é tão encantador quanto cativante. Talvez seja porque eu sou formada em administração e em direito ou talvez seja por causa do seu jeito sem noção de lidar com as pessoas. Obrigada por permitir que o público faça parte dessa experiência." Fico feliz em saber que as pessoas estão gostando tanto do show quanto eu.

Eu liguei para Paul Chapman e pedi uma *Pepsi diet*. Norma veio me lembrar sobre o café da manhã do Instituto Damon Runyon de pesquisas sobre câncer que será realizado no *Rainbow Room* no final deste mês, homenageando o grande Bob Wright da *NBC* e alguns outros compromissos.

10h30 – Tenho uma reunião com Bernie Diamond, conselheiro geral, e depois Costas Kondylis chegou para uma outra reunião. Pedi a Don Jr. que entrasse e discutimos sobre empreiteiros, então liguei para um e, como era de esperar, ele pediu pelo menos 100 mil acima do valor necessário para fazer o trabalho. Depois que terminamos a conversa, ele aceitou um preço razoável, 100 mil a menos do que havia imaginado. Preciso dizer mais alguma coisa?

10h45 – Recebi uma ligação de John Stark, do *Stark Carpet*, e falei com Bernd Lembke sobre o fim de semana no Clube Mar-a-Lago. Fiquei feliz em dizer que o trabalho neste lugar maravilhoso nunca vai acabar. Agora estou construindo o que em breve será o melhor salão de festas dos Estados Unidos. Eu chamei Tony Senecal para examinar algumas coisas.

Recebi uma ligação de David Hochman, da *Playboy*, sobre uma entrevista que faremos em maio e tenho uma reunião na grande sala de conferências com minha equipe de desenvolvimento para revisar os planos e ver o que está em andamento. Parte de ser um bom construtor é planejar o futuro, que é uma das razões pelas quais aprecio muito esse tipo de reunião. Uma sala cheia de plantas e projetos de construção significa uma sala com muita coisa em andamento.

11h45 – Desci com um grupo de banqueiros de Wall Street para mostrar a eles os novos aposentos dos dezoito novos candidatos a aprendizes. Eles concordam que está tudo ótimo e percebi que estou ansioso para trabalhar com outro grupo de jovens entusiasmados. A sala de reuniões parece pronta para outra temporada animada. Descemos para o nível do saguão principal. Algumas pessoas acenaram e disseram: "Você está demitido!"

Fiz um *tour* pelo belo novo espaço ocupado pela *Asprey*, os joalheiros famosos, que ocupa os três andares na frente da *Trump*

Tower. Quando você vir a bandeira britânica balançando ao vento ao lado da bandeira americana entre a 56ª e a 5ª Avenida, é por causa da *Asprey*. Eles são os joalheiros da família real e de muitas outras pessoas de bom gosto.

Ao passar pela recepção de volta ao meu escritório, parei para perguntar a Georgette como está sendo sua primeira semana de volta ao trabalho. Muito bem. Ela é uma guerreira.

12h15 – Retornei as ligações recebidas e liguei para Tiffany na Califórnia para uma atualização. George Ross chegou para uma reunião e discutimos algumas coisas pertinentes à nova temporada de *O Aprendiz*, bem como algumas questões de negócios. Andy Weiss, Bernie Diamond e Allen Weisselberg também chegaram para outras reuniões.

Recebi uma ligação de Rudy Giuliani sobre um jantar juntos, e conversei com a *Random House* sobre um evento de vendas que irei participar. Eu disse à *Random House* que gostaria de ensinar aos leitores tudo o que é necessário para ter sucesso na vida em menos de trezentas páginas. É um desafio e eu gosto de fazer o máximo possível. Mas meus livros não têm um propósito unicamente educacional. Os livros podem se tornar desinteressantes se forem unidimensionais.

Robin veio me lembrar da reunião do conselho de administração da *Police Athletic League* na próxima semana e discutimos alguns convites e propostas de negócios que surgiram. Aqui está alguém que quer construir uma torre no topo da *Trump Tower* comigo, depois de ouvir essa ideia no *Saturday Night Live*. Eu duvido seriamente que esse cara saiba que o *SNL* é um programa de comédia, e ele decidiu que será meu novo parceiro de negócios, porque também gosta de asas de frango. Não poderíamos inventar essas coisas nem se tentássemos. De fato, se a equipe de roteiristas do *Saturday Night Live* ficar sem ideias, eles deveriam passar um dia aqui lendo as minhas mensagens.

13h – Recebi uma ligação da *Wagner College*, de Staten Island. Receberei um doutorado honorário em maio – certamente será uma honra. "Dr. Trump" soa bem na minha opinião.

É surpreendente o que alguns dias de reflexão e revisão de números podem fazer, porque um dos empreiteiros do início desta semana ligou de volta e descobriu que pode fazer o trabalho "facilmente" por 150 mil dólares a menos do que pensou originalmente. Percebi que estava na hora e foi por isso que finalmente atendi sua ligação.

Eu recebi um telefonema de Vinnie Stellio, que está gerenciando o empreendimento e a construção do campo de golfe na *Trump*

National / Los Angeles. Estamos construindo um campo realmente excelente lá.

Eu liguei para meu irmão Robert, para saber como andam as coisas. Ele estará indo para Londres na próxima semana.

Disse a Bobby "Hollywood", um dos meus guarda-costas, que quero dar um passeio até a *Trump Park Avenue*. Hoje em dia isso pode ser uma aventura, mas ele está preparado.

13h45 – Cheguei à *Trump Park Avenue*. O *lobby* está muito bonito, mas quero que os porteiros usem luvas brancas. Afinal, esta é a Park Avenue. Percebi que parte da madeira está desalinhada em um dos elevadores. Pedi que seja consertado imediatamente e que eles tirem o elevador de serviço até que o serviço seja feito. Eu tenho um olhar atento para as pequenas coisas, que podem encantar as pessoas ou irritá-las, dependendo das circunstâncias. Eu fiz uma vistoria pela propriedade e parece estar tudo bem no geral, embora não perfeito, por isso analisamos algumas coisas que precisam de atenção. Sempre finjo que sou inquilino em todos os meus prédios. O que poderia me incomodar se eu morasse ali? Antes de qualquer coisa, tudo precisa estar brilhando, caso contrário, vai parecer um local imundo. O saguão e os corredores devem estar sempre em perfeitas condições, todas as luminárias devem estar polidas e funcionando e o carpete deve parecer sempre novo em folha. Um prédio mal administrado terá uma aparência de ruim, e ruim não é aceitável – nunca! A maioria dos proprietários não gostaria de ter um inquilino como eu, mas pela mesma razão, a maioria dos inquilinos quer ter um senhorio como eu: o fato de eu ser tão perfeccionista trabalha a favor deles.

15h – Robin colocou o telefone em espera, por isso retornei as dez ou doze ligações que chegaram e revisei as anotações de uma reunião relativa a Wall Street 40, meu precioso edifício no Distrito Financeiro. O centro teve uma boa recuperação. Como disse ao *New York Post*: "Mesmo o 11 de setembro não conseguiu destruir aquele lugar."

Carolyn Kepcher telefonou. Analisamos algumas anotações que fiz ontem sobre *Trump National / Briarcliff* durante a partida de golfe e a tarde que passei no local. Quando a temporada em Palm Beach acabar, ficarei muito tempo em Westchester e estaremos constantemente ajustando tudo.

15h30 – Tive uma reunião com Charlie Reiss e Bill Rancic sobre a torre de Chicago. Revisamos algumas brochuras do edifício. Discutimos o planejamento da torre de Las Vegas. Irei construir um edifício de luxo lá, que será tanto um condomínio quanto um empreendimento de uso misto com Phil Ruffin, um dos caras mais incríveis que conheço, por isso viajarei para lá em uma visita rápida nas próximas semanas. Agora pode entender por que ter um avião próprio é uma necessidade na minha vida?

Liguei para Katie Couric para parabenizá-la pelo excelente trabalho no evento beneficente pelo câncer de colo de útero no *Queen Mary 2*. Ela levantou 5 milhões de dólares para essa importante causa e é uma pessoa especial, mesmo que ela tenha feito Harry Connick Jr. me "demitir" depois do nosso dueto. Vou tentar perdoá-la, mas só porque gosto muito dela.

16h – Norma entrou com uma pilha de cartas e propostas para analisar. Ela disse que eu me encolho quando a vejo entrar. A meu ver, ela se tornou "a rainha da lição de casa", e ela sabe disso.

A *Random House* telefonou para me dizer que vendeu os direitos de *Como ficar rico* para editores em 21 países. Um amigo meu disse que seu filho de dezesseis anos leu esse livro três vezes e, como resultado, administra sua própria organização. Agora, ele já está lendo revistas e jornais financeiros todos os dias, e seu favorito é o *The Wall Street Journal*. Gostei muito de ouvir isso.

Liguei para o meu filho Eric para ver quais são os planos para o fim de semana. Ele disse "estudar", mas de alguma forma penso de outra maneira. Não que não seja um bom aluno (ele definitivamente é), mas é do tipo que gosta de estar ao ar livre e tem muitas atividades que o interessam. Todos os meus filhos são equilibrados na medida em que são trabalhadores dedicados e pessoas disciplinadas, por isso não costumo me preocupar muito com eles.

16h45 – Rhona chegou para me entregar os últimos faxes e mensagens do dia. Liguei para Steve Wynn e disse que em breve farei uma visita. Telefonei para John Myers e depois para Mark Brown. Mike van der Goes me ligou da Califórnia e Paula Shugart telefonou sobre uma entrevista para uma revista no Equador. E, é claro, outro daqueles empreiteiros do início da semana me ligou, apresentando preços completamente diferentes para seus serviços. Por que certas coisas são tão previsíveis? De qualquer forma, é bom quando as coisas se tornam tão agradáveis – neste caso, outra palavra para "razoável".

17h30 – Autografei alguns livros para serem enviados a amigos e colegas, fiz os últimos telefonemas, e conversei com Allen Weisselberg por alguns minutos. Foi uma boa semana, na verdade uma semana especial para mim, e todos estamos ansiosos pelo fim de semana.

18h30 – Desliguei as luzes do escritório e subi. Estou ansioso para jogar golfe neste final de semana, pois ficaremos na cidade. Precisamos de um final de semana para relaxar, o que significa que podemos dar um pulo a Atlantic City amanhã à noite de helicóptero, checar o campo de golfe em Bedminster, Nova Jersey, no domingo, e jantar no *Club '21'* hoje à noite. Este fim de semana será relativamente calmo para nós. A *Trump Tower* é um excelente lugar para morar.

PARTE 5

NOS BASTIDORES
DE *O APRENDIZ*

O EPISÓDIO FINAL DE *O APRENDIZ*

O episódio final da primeira temporada de *O Aprendiz*, filmado ao vivo na *NBC* nos estúdios do *Saturday Night Live*, foi como um retorno ao lar. Eu havia passado um tempo lá apenas algumas semanas antes. Já sabia onde ficava a cantina, onde encontrar *pretzels*, conhecia o pessoal do figurino e o *set* como um todo.

Jeff Zucker, Bob e Suzanne Wright e Darrell Hammond vieram me visitar, e até os mesmos diretores de *set* estavam lá, Gena e Chris. Então, foi como a continuação de um evento fantástico. Também notei que minha fotografia estava ao lado dos grandes nomes do *SNL*, no corredor da fama que reveste as paredes do caminho para o *set*. Eu estava pronto para uma nova aventura.

Às três da tarde, fui entrevistado por Pat O'Brien, da *Access Hollywood*, e segui para uma reunião com Mark Burnett para repassar a transmissão ao vivo. Depois, fizemos um teste de luz no *set*, onde construíram uma sala de reuniões similar à da *Trump Tower*. Carolyn Kepcher e George Ross se juntaram a mim.

Usei o mesmo camarim de quando participei do *Saturday Night Live*, e os primeiros dezesseis candidatos a aprendizes tinham camarins no andar de cima. Definitivamente, havia um sentimento de celebração nos bastidores, uma reunião para comemorar um grande sucesso.

Eu me perguntava qual seria o cargo escolhido pelo vencedor. Afinal, isso é da minha conta, literalmente. Então estava tentando avaliar o resultado de ambas as possibilidades. O *Trump National Golf Club*, em Palos Verdes, estava sendo comandado por Mike van der Goes, e eu não queria perdê-lo ou ter que remanejá-lo para outro cargo. O edifício em Chicago está mais propício a receber alguém novo, pois ainda está em fase de desenvolvimento. Então, eu tinha esperanças de que o vencedor escolhesse o empreendimento de Chicago. Mas as duas opções estavam à disposição do vencedor, e isso seria decisão dele. Eu precisaria aceitar qualquer que fosse a escolha.

Após o teste de iluminação, tive outra reunião no camarim com Mark Burnett e seus produtores, Jay Bienstock e Kevin Harris. Analisamos o impacto do programa e como certos participantes foram vistos pelo público. Dois dos participantes em particular haviam recebido muita atenção da mídia: Omarosa parecia ter emergido como a vilã do programa e Troy como o herói. Recentemente, alguém me perguntou se eu daria uma referência de emprego a Omarosa. Minha resposta: eu daria a ela uma boa referência para trabalhar em uma novela.

Também discutimos como o grupo pode interagir durante o show ao vivo e se podemos encontrar alguma dificuldade. Tentamos não pensar muito em possíveis problemas, mas um show ao vivo é sempre um tiro no escuro. Enviei cópias autografadas do meu livro *Como ficar rico* aos dezesseis aprendizes enquanto eles esperavam o início do show. George Steinbrenner ligou para me desejar felicidades e disse que a família toda estaria assistindo. George estava por trás de tudo isso antes de qualquer pessoa.

Voltei para visitar a gentil equipe dos figurinos, equipe, onde conversei com Dale Richards, que trabalha com o figurino do *Saturday Night Live* há dezoito anos. Ele me contou que havia um burburinho no ar, até um certo nervosismo entre os veteranos do *SNL*, pois embora o *SNL* esteja em operação há 29 anos, *O Aprendiz* tinha apenas alguns meses naquele momento. Era uma situação nova para eles. Eles não podiam simplesmente relaxar e esperar que as coisas fossem como de costume, porque esse show não era de costume. Mas disse que, considerando minha apresentação na TV ao vivo, eles não estavam preocupados comigo. Sabiam que eu daria conta do recado, e me senti muito confiante.

O diferencial da *NBC* é que eles fazem as coisas com muito profissionalismo, mas com um toque especial também. Não era necessário, mas contrataram uma banda ao vivo para o episódio final, com membros da banda do *SNL*, o que aumentou ainda mais a emoção. Só de ouvi-los no aquecimento, deu ao lugar o ar de um grande evento prestes a acontecer.

E foi exatamente isso que aconteceu. Mark Burnett, Melania e eu assistimos a parte gravada do episódio final no camarim, e depois saímos para a cena final na sala de reuniões com Carolyn, George, Kwame e Bill. Também estavam presentes no *set* os outros quatorze candidatos e mostramos vídeos com atualizações de suas vidas para o público da televisão.

Provavelmente o fato de não saber o tamanho da audiência que o programa estava recebendo durante aqueles minutos finais me ajudou. Fiz de conta que o show era apenas uma negociação qualquer, então não estava muito nervoso. De certa forma, eram os negócios de sempre, e minha escolha por Bill parecia a ser a coisa certa a fazer. Nunca fui uma pessoa histérica, portanto, mesmo com uma audiência massiva nos assistindo, eu sabia qual seria a melhor decisão para a *Trump Organization*. A experiência como empresário falou mais alto na hora da decisão.

Mas preciso admitir que foi emocionante. O ápice de todas aquelas semanas de altos e baixos – as várias provas, problemas pessoais, lutas internas, desonestidades e camaradagem – aconteceu incrivelmente rápido. E, para minha sorte, Bill escolheu a *Chicago Trump Tower* como sua missão. Pareceu que tudo acabou tão de repente.

Ou pelo menos foi o que senti. Tivemos uma festa de encerramento na *Trump Tower* para todos os envolvidos no programa e eu jamais tinha vivido tamanha exposição em toda a minha vida. Foi um exagero de mídia. A Quinta Avenida foi bloqueada e havia milhares de pessoas lá apenas para ver quem entrava no edifício. Melania e eu levamos mais de uma hora para caminhar pelo tapete vermelho da porta da frente até os elevadores, provavelmente uma distância de menos de trinta metros. Era uma imensa aglomeração de todos os lados, mas o clima era de festa e não posso reclamar. Foi maravilhoso.

A *NBC*, Mark Burnett e todos os outros envolvidos com *O Aprendiz* trabalharam duro e tive uma ótima experiência – uma que nunca poderei esquecer. Estou ansioso pela nova temporada.

O Aprendiz 2

Com o entusiasmo mundial em torno da primeira temporada, o incrível sucesso de audiência e quatro indicações ao *Emmy*, Mark Burnett, *NBC*, e eu sabíamos que teríamos que fazer um show ainda mais eletrizante na segunda temporada de *O Aprendiz*. Vai ser incrível, e aqui estão todos os detalhes da produção dos quatro primeiros episódios.

Segunda-feira, 10 de maio

Segunda-feira, 10 de maio, marcou o dia de abertura das filmagens da nova temporada. Mark Burnett e sua equipe vieram ao meu escritório para mostrar uma gravação apresentando os dezoito novos candidatos a aprendizes. Logo estaria cara a cara com esses homens e mulheres na sala de reuniões no andar de baixo. Esse parecia ser um grupo dinâmico e energético. Apenas personalidades do tipo A. Eles não têm apenas uma aparência boa, mas seus históricos incluem *West Point*, *Princeton*, *Harvard* e *Wharton*. Nada mal.

Às 11 horas da manhã, fomos todos à suíte do quarto andar, que havia sido redecorada com perfeição por Kelly Van Patter. Ela também decorou a suíte da primeira temporada, e essa ficou ainda melhor. Jim Dowd, da *NBC*, nos encontrou lá, junto com Craig Plestis, vice-presidente sênior de programas e desenvolvimento alternativos da *NBC*, e Lee Strauss, vice-presidente de assuntos comerciais, também conhecido como o "negociador" do *reality show*. Fui muito bem recebido e isso me fez pensar que talvez seja importante para essa rede, o que é um ótimo sentimento. Como parceiros de negócios, a *NBC* é a melhor.

Carolyn Kepcher, George Ross e Robin Himmler, da minha equipe, estavam lá prontos para entrar na nossa segunda temporada como regulares, assim como Scott Duncan, um talentoso fotógrafo com *dreadlocks*, que também é irmão de Tim Duncan, do *San Antonio Spurs*. Mark me apresentou à sua linda namorada, a estrela da televisão Roma Downey, e nós a levamos em um *tour* pela infame sala de reuniões. Chegou a hora de conhecer pessoalmente os dezoito novos candidatos.

Sentado diante dos novos concorrentes, notei que George estava especialmente elegante. Acho que o estrelato na TV fez bem para ele. No entanto, avisei os novos dezoito candidatos que George e Carolyn podem ser duros e desagradáveis, mas tomem cuidado – George é realmente muito desagradável. Eles riram. Eu não acho que acreditaram em mim.

Todos os candidatos se apresentaram. Era possível perceber que estavam visivelmente nervosos, e com razão, mas percebi que essa ansiedade era completamente positiva. Essa energia me deixou com uma ótima primeira impressão do grupo, e eu disse a eles que dar uma chance a esse show merece uma comemoração. Eles têm muita vontade de vencer.

Mencionei também que Bill Rancic está indo muito bem como vencedor da primeira temporada, mas todos os outros candidatos desse programa certamente estão no caminho certo. Nessa nova formação não havia perdedores.

Carolyn contou a eles que apenas dezoito pessoas foram escolhidas em mais de um milhão de inscritos. Isso deve dar uma dose extra de confiança a eles, para enfrentarem os desafios os aguardam. George, tentando ser educado para variar, disse que todos eram altamente qualificados e que esperava que fizessem um bom trabalho.

Eu também disse aos candidatos que seriam divididos em dois grupos de acordo com o sexo. Isso causou muita controvérsia da última vez, mas é uma pena. Não estou concorrendo a nenhum cargo e essa é a minha decisão. Eles logo seriam postos à prova e sentiriam todas as emoções – positivas e negativas – durante o processo. Mas alguém será escolhido como meu aprendiz, com outra excelente oportunidade esperando por ele na linha de chegada. Pode ser uma competição implacável, mas também será divertida.

Dito isso, eles seguiram para a suíte, que estava recheada com muito champanhe, caviar e outros mimos. Acho que todos se sentiam muito sortudos por estarem aqui, assim como nós.

Estava me perguntando se havia outro Sam Solovey nesse grupo. Sam era estranho, mas talentoso. Seu comportamento excêntrico não conquistou o público. Por exemplo, ele realmente usou um vestido de gala (o que não é uma coisa bonita de se ver) em um comercial promovendo o concurso de *Miss EUA*. Poucas pessoas teriam tido a coragem de fazer isso. Preciso dar esse crédito a ele. E os 250 mil dólares que Sam supostamente teria me dado? Não foram 250 mil dólares, mas cerca de 1.100 dólares junto com muitos jornais escondidos. Mas esse é o Sam – ele é assim, complicado, inteligente e vai ficar bem.

Eu pude conhecer antes os dezoito novos candidatos, então aqui está uma breve biografia de cada um deles para você.

Kevin (Chicago, Illinois), estudante de Direito

Kevin, 29 anos, cresceu em Silver Spring, Maryland, e depois estudou na *Wharton School of Business*. Ele desistiu de sua carreira profissional no futebol quando seu irmão foi diagnosticado com leucemia. Mais tarde, concluiu um *MBA* em fusões e aquisições e finanças da *Emory*. Atualmente, ele está estudando para obter um diploma em direito na Universidade de Chicago. Ele e seu irmão fundaram uma empresa de *software*.

Raj (Vail, Colorado / Filadélfia, Pensilvânia), incorporador de imóveis

Raj, 28 anos, cursou o ensino médio na *Hill School*, um colégio interno nos arredores da Filadélfia, e depois se formou em economia e história no *Boston College*. Passando de um período bem-sucedido no banco de investimento na empresa *Violy & Co.* na cidade de Nova York, Raj fundou a *Automovia Technology Partners*, aos 23 anos. A empresa trabalhou em estreita colaboração com algumas das maiores e mais respeitadas empresas do setor automotivo para desenvolver uma tecnologia de ponta personalizada, relacionada à avaliação e distribuição de carros usados. Após esse período no setor de tecnologia, Raj voltou-se para o setor imobiliário e criou a *Vanquish Enterprises*. Isso o levou à aquisição de um projeto de um condomínio/hotel em Vail, Colorado. Com uma extensa renovação e reposicionamento desse ativo, o projeto está em vias de aumentar a receita em 300%.

Maria (Virginia Beach, Virgínia), executiva de *marketing*

Maria, 31 anos, cresceu em Tallahassee, Flórida. Sua residência principal é em Virginia Beach, onde seu marido é piloto na Marinha dos Estados Unidos. Maria é bacharel em administração e completou um *MBA* com foco em *marketing* empresarial. Em 2002, Maria foi nomeada a vice-presidente mais jovem da história de sua empresa de capital aberto. Atualmente, ela é vice-presidente de *marketing* de uma empresa de investimentos imobiliários com sede em Richmond, Virgínia, e tem dez anos de experiência nas áreas de *marketing / branding*, vendas, gestão de negócios e publicidade.

Bradford (Fort Lauderdale, Flórida), advogado

Bradford, com 32 anos, é de uma pequena cidade de Massachusetts. Mais tarde, ele se estabeleceu no sul da Flórida, onde obteve seu doutorado profissional *na Nova Southeastern Law School*. Além de ser um advogado de sucesso e lidar com vários casos importantes, também é investidor imobiliário e possui várias propriedades comerciais e residenciais no sul da Flórida. Ele pode ser visto diariamente em um carrinho de golfe personalizado com pneus de caminhão movido a gás, indo para o tribunal ou inspecionando suas propriedades.

Jennifer C. (Nova York, Nova York), agente imobiliária

Jennifer, 31 anos, graduou-se com distinção em diploma de bacharel em belas artes pela Universidade de *Syracuse*. Jennifer imediatamente tornou-se uma das mais jovens editoras de fotos em uma importante revista internacional de entretenimento. Ela rapidamente subiu de cargo, trabalhando em muitas das publicações mais vendidas do país, em sessões de fotos com algumas das celebridades mais famosas do mundo. A carreira de Jennifer tomou rumos mais lucrativos quando passou a trabalhar no setor imobiliário e recebeu um cargo em uma das empresas de maior prestígio da cidade de Nova York, a *Prudential Douglas Elliman*. Embora tenha sido informada pelos gerentes que demorariam mais de seis meses para fechar um acordo e obter algum dinheiro, Jennifer assinou vários contratos nas primeiras seis semanas de negócios, impressionando até os veteranos mais experientes. Atualmente, Jennifer está obtendo muito sucesso com a venda de imóveis residenciais sofisticados e multimilionários. A exemplo de sua carreira competitiva no cenário imobiliário, Jennifer também se destaca em competições de equitação, tendo sido premiada por seu talento nessa área.

Pamela (San Francisco, Califórnia), parceira em uma empresa de investimentos

Pamela, 32 anos, é uma executiva de negócios talentosa e bem treinada que fundou duas empresas de sucesso do zero. Ela tem um diploma de graduação em economia pela *University of Pensilvânia* e um *MBA* pela *Harvard Business School*. Durante os anos 1990, trabalhou como banqueira de investimentos em Wall Street, subscrevendo IPOs e fazendo consultoria de fusões e aquisições para dois importantes bancos de investimentos. No ano 2000, Pamela fundou a *Blazent, Inc.*, em seu *loft* em San Francisco. A *Blazent* cresceu e tornou-se uma empresa de *software* empresarial de sucesso, agora com escritórios em todo o país. Após dois anos como CEO da empresa, Pamela deixou a *Blazent* para formar a *Crimson Holdings*, uma empresa de investimento privado focada em investimentos imobiliários e estratégias de proteção patrimonial. Os *Crimson Funds*, incluindo *Crimson Advisors* e *Crimson BridgePoint Funds*, que tiveram um desempenho excepcional e a família de fundos *Crimson* está rapidamente se tornando um líder no gerenciamento de investimentos alternativos.

Sandy (Rockville, Maryland), dona de uma loja para noivas

Sandy, 28 anos, nasceu e foi criada em uma casa de portugueses em Washington, DC. Aos 21 anos, ela era a dona de uma loja para noivas mais jovem do país. Desde então, Sandy evoluiu para se tornar uma organizadora de casamentos e eventos exclusivos na região metropolitana de "DC". Sua clientela inclui herdeiros da família *Tiffany & Co.* e a elite política. O entusiasmo empreendedor de Sandy também a levou a investir em empreendimentos e investimentos imobiliários. Atualmente, Sandy continua ocupada administrando sua premiada empresa de noivas e de planejamento de casamentos e eventos.

Rob (Frisco, Texas), responsável por vendas corporativas

Rob, 32 anos, cresceu em Plano, Texas, e depois ganhou uma bolsa de futebol na *Northeast Missouri State University*, onde passou quatro anos como *linebacker*. Depois de se formar em ciências pela *University of Texas*, ele e sua esposa fundaram a *Flanagan Enterprises, Inc.* e a transformaram em uma empresa multimilionária, vendendo itens de marcas corporativas e soluções em embalagens personalizadas para empresas em todo o mundo. Em novembro de 2003, Rob fez parceria com a *HotLink, Inc.*, líder do setor que utiliza automação de *marketing*, com sede em Austin, Texas, onde é vice-presidente da *Dallas Sales*. Além de criar seus dois filhos pequenos, Rob gosta de golfe, mergulho, tocar violão e pescar.

Elizabeth (Marina Del Ray, Califórnia), consultora de *marketing*

Elizabeth, 31 anos, trabalha com mais de trinta empresas da *Fortune 500* e mais de quarenta marcas multimilionárias que confiam nela para ajudá-las a desenvolver ideias criativas para seus negócios. Atualmente, Elizabeth é proprietária e administra a *Pulse40*, uma empresa de consultoria de sucesso, pioneira em um processo inovador de entrevistas. Trabalhando com produtos que variam de detergentes a filmes, você pode reconhecer grande parte do trabalho dela na TV. Elizabeth se formou na *University of Michigan Business School*, onde foi reconhecida como bolsista *Angell*, recebeu o Prêmio Branstrom e foi classificada entre os melhores alunos em um ranking de excelência e liderança acadêmica em todo o país. A carreira profissional de Elizabeth começou quando foi contratada pela *Procter & Gamble*

Brand e rapidamente se tornou uma gerente de *branding* de grande sucesso. Alguns fatos curiosos que a maioria das pessoas desconhece sobre Elizabeth: ela é poeta com livros publicados, campeã estadual de basquete, dançarina de salsa, palestrante motivacional e diretora premiada de curtas-metragens.

Stacie J. (Nova York, Nova York), dona de uma lanchonete

Stacie, 29 anos, cresceu no Colorado. Ela tem um bacharelado pela *Emory University* e possui *MBA* pela *Mercer University*, ambas localizadas em Atlanta, Geórgia. Ela é modelo profissional pela *Ford Model Management*, com sede em Nova York, e pela *Elite Model Management*, com escritórios em Los Angeles, Atlanta, Miami e Chicago. Atualmente, é dona de uma franquia de sanduíches *Subway* bem-sucedida no Harlem, Nova York.

Andy (Boca Raton, Flórida), recém-formado em *Harvard*

Andy, 23 anos, nasceu e cresceu no sul da Flórida, onde aprendeu cedo o que seria necessário para ter sucesso nos negócios. Aos 13 anos, Andy co-fundou uma empresa de pacotes de concertos que atendia clientes corporativos e individuais. O caçula de quatro meninos, Andy aprendeu a usar suas habilidades de convencimento para se defender desde muito jovem. Em 1999, ele utilizou essas habilidades para vencer o Campeonato Nacional de Debate dos EUA. Andy se formou recentemente na *Harvard University*, onde foi membro fundador de uma organização dedicada ao combate de doenças infecciosas nos países em desenvolvimento. Um tenista competitivo, Andy está ansioso pelo sucesso dentro e fora da sala de reuniões.

Ivana (Boston, Massachusetts), investidora em capital de risco

Ivana, 28 anos, cursou o bacharelado na *McIntire School of Commerce* na *University of Virginia*, com uma especialização em finanças. Ela passou os últimos cinco anos no setor de capital de risco, investindo em empresas de tecnologia. Ivana gosta de correr e andar de bicicleta e recentemente arrecadou cinco mil dólares para a Sociedade de Leucemia e Linfoma, completando um percurso de 160 quilômetros ao redor de Lago Tahoe. Ela mora em Boston com seu noivo, Brian, que estuda na *Harvard Business School*.

Jennifer M. (San Francisco, Califórnia), advogada

Jennifer, 29 anos, formou-se em inglês em *Princeton* e em direito na *Harvard*. Ela se formou como *magna cum laude* e *Phi Beta Kappa* em *Princeton* e foi indicada ao Prêmio Pyne, a maior honraria de *Princeton*. Atualmente, é litigante de valores mobiliários em um escritório de advocacia em São Francisco e trabalhou com equipes de gerenciamento em *start-ups* até empresas da *Fortune 500*. Jennifer mora em San Francisco com o marido, Aron.

Wes (Atlanta, Geórgia), gerente de patrimônio privado

Wes, 27 anos, é filho de um veterinário e o mais velho de quatro irmãos indisciplinados, aprendendo a ter responsabilidade e liderança desde muito jovem. Wes é de Atlanta, Georgia, onde mora com sua esposa, Lynne. Ele é formado em economia pela *University of North Carolina* em Chapel Hill. Ele se mudou para Atlanta e, em cinco anos, tornou-se vice-presidente de uma das maiores empresas de investimento global do mundo. Wes lidera uma grande equipe especializada em gestão de investimentos para pessoas ricas, famílias e grandes corporações. Já está há seis anos trabalhando como consultor financeiro e é um dos mais jovens planejadores financeiros com certificação no país. Ele também atua como instrutor no prestigioso Instituto *High Net Worth* da *Emory University*, em Atlanta, Geórgia.

Kelly (Carlsbad, Califórnia), executiva de softwares

Kelly, 37 anos, formou-se em segurança nacional e assuntos públicos pela Academia Militar dos Estados Unidos em West Point. Ela obteve simultaneamente um *MBA* da *Anderson School* da *UCLA* e um doutorado profissional pela *School of Law* da UCLA. Depois de se formar em West Point, Kelly completou o treinamento ranger[6] e serviu dois anos como oficial de inteligência militar no Exército dos Estados Unidos. Kelly arrecadou mais de 5 milhões de dólares em financiamento para três *start-ups* e, como presidente interina, liderou a venda de uma dessas novas empresas (eteamz.com: o maior portal de esportes amadores da web na época) por oito dígitos para uma companhia que desde então passou a trabalhar com capital aberto. Ela é cofundadora e presidente de um site da comunidade de apaixonados por motores chamado motorpride.com e atualmente é presidente da *CoreObjects*, uma empresa terceirizada de desenvolvimento de *softwares* com sede em Los Angeles.

6   *Ranger* é um policial de tropa de elite. (N.P.)

Stacy R. (Nova York, Nova York), advogada

Stacy, 26 anos, é uma nova-iorquina nativa que se formou em história da arte na *University of Columbia*, onde se graduou com honras. Stacy obteve um doutorado profissional pela *Brooklyn Law School* e atualmente trabalha com direito corporativo em um escritório de advocacia de alto nível em Nova York. Stacy trabalhou nos departamentos jurídicos da *Sotheby's Auction House* e do *Metropolitan Museum of Art*, em Nova York. Stacy adora viajar; ela estudou em Paris e fala francês. Ela é membro ativo de várias associações de advogados e organizações de caridade em Nova York.

Chris (Long Island, Nova York), corretor da bolsa de valores

Chris, 30 anos, foi criado em Nova York e é um empreendedor desde os 11 anos de idade. Ele começou com um negócio de doces, que foi seguido por uma empresa de paisagismo aos 14 anos. Ele vendia flores todos os feriados e árvores de Natal no inverno. Depois de sete anos como corretor, ele abriu sua própria empresa. Em menos de cinco meses, ele ficou em décimo terceiro lugar em uma lista de mais de mil corretores, e sua filial ficou em oitavo lugar entre outras 171 empresas. Talvez o mais impressionante seja o fato de Chris ter alcançado tudo isso tendo cursado apenas o ensino médio.

John (San Francisco, Califórnia), diretor de *marketing* imobiliário.

John, 24 anos, viveu a maior parte de sua vida na região da Baía de São Francisco. Ele frequentou a *University of Califórnia* em Berkeley, onde se formou em 2003. Enquanto estava na Califórnia, John ganhou